ONS DAGELIJKS BROOD

Catalijn Claes

Ons dagelijks brood

Westfriesland

ISBN 978 90 205 3060 5
ISBN e-book 978 90 205 3095 7
NUR 344

© 2012, Uitgeverij Westfriesland, Utrecht
Omslagillustratie en -ontwerp Bas Mazur

www.uitgeverijwestfriesland.nl

HOOFDSTUK 1

Het loopt tegen drie n als Mans Mandemaker de bakkerskar het rulle zandpad op rijdt op weg naar het huis van Peer Liefdegeest, waar hij een keer per week de bestelling aflevert. Het Zandpad ligt een kwartier gaans buiten het dorp, en dan heel die weg voor slechts n wit, n krop, n roggebroodje en een rol beschuit, waarop een zegeltje met een heraut ter paard, zegeltjes om te sparen, ja, voor wat? Hij ziet er het heil niet van in, en Peer Liefdegeest, de zonderling, die aan het Zandpad moederziel in zijn eentje woont, lijkt hem er de man niet naar om zegeltjes te sparen. Tja, dat huisje aan het Zandpad, met een vaal rieten dak waarin de mussen zich schrapen en waarin de muizen nestelen, dat huisje toentertijd opgetrokken uit vaalrode stenen opgekocht uit afbraak — nu nog, na jaren, zitten de ruwe, dikke klonters van verharde kalk tussen de voegen. Twee kleine vensters met vierkante ruitjes sieren de voorkant, en in het midden hangt de groengeverfde deur in de piepende scharnieren, en langs het dak een overhangende goot met hier en daar een dot mos.

Bom, de handkar staat op de kruk. Beroerd, hoor, dat pa geen geld heeft om de bestelauto te laten repareren. Pa, die tegen hem zei: Dan neem je zolang de broodkar maar. En pa zei nog meer: Alleen nog deze zomermaanden dat je daar brood bezorgt, dan fini, je slijt het meer aan je schoenzolen dan dat je d ran verdient. Zeg dat maar tegen Liefdegeest.

Hij grijnsde. Wat? Dat van die schoenzolen, of dat we d r de brui an geven?

Pa, met een grauw: Je bent geen sufferd, weet bliksemsgoed hoe ik het bedoel. En hij schoof met een roodverhit hoofd een bakplaat met kadetjes in de oven. En pa zegt ook dikwijls vol overtuiging: De oudste ziet niks in de bakkerij, die zoekt zijn heil op zee, en nu dacht ik zo, jij de zaak en verder geen gezeur.

En Lieuwe gaat daarin volop mee. Lieuwe, van jongs af aan heeft-ie nooit wat met de bakkerij op gehad. Hem niet gezien; van de vroege ochtend tot de late avond in die gloeiende hitte van die v rotte snikhete oven. Trouwens, wat voor vooruitzicht heeft vandaag de dag een dorpsbakker in een plattelandsgemeente? Niks ommers met die opko-

5

mende broodfabrieken in de verschillende regio s?

Ja, zo praat Lieuwe, daarbij de teleurstelling van pa niet achtend. En als hij, Mans, weer overeind komt en weer de glimmend bruinhouten broodkar voortduwt en d r nog eens over nadenkt, moet-ie toegeven dat Lieuwe niet helemaal ongelijk heeft. Vandaag de dag is het voor een dorpsbakker de handen uit de mouwen steken als je je hoofd boven water wilt houden, en tegen die opkomende broodfabrieken doe je vrijwel niets. Pa werkt zich een slag in de rondte. Er moet nodig een hulp bij, maar dat laat de portemonnee niet toe. En van de vakbond voor de zelfstandige middenstander heeft pa ook geen hoge pet op. Zijn mening luidt: ongehoord hoge contributie om de kas te spekken, dat wel, en wat doen de heren? Vergaderen, niks dan vergaderen, maar spijkers met koppen slaan, ho maar. Nee, pa s vertrouwen in de bond is tot het nulpunt gedaald, en op de eerstvolgende vergadering laat hij zich van de ledenlijst schrappen.

Lieuwe, na een driemaandse zeereis een aantal weken thuis met vakantie, zei: Je bent stom in de weer, pa, alleen begin je niks, met z n allen sta je sterk. Als ik jou was, gaf ik me subiet weer op als lid.

In twijfel gebracht door wat Lieuwe zei, stoof pa prompt op: Als ik je mening wil horen, zal ik je d r naar vragen.

Lieuwe haalde zijn schouders op, liep de kamer uit, scheen zich te bedenken, bleef in de deuropening staan, richtte zich tot pa en ging erop door: Doe nu maar wat ik je zeg, pa. Heus, dat is beter. En weg was Lieuwe.

Maar tot nu toe heeft pa er geen gehoor aan gegeven, hij staat dagelijks voor dag en dauw in de bakkerij en slaakt onder het werken door af en toe een zucht: H , h , het komt een mens niet aanwaaien.

Maar dat is overal, vandaag de dag gaat het nergens van een leien dakje. Overal komen er hoognodige regeltjes bij. Bertus Lamoen, het varkensboertje op Terdiek, ligt in de clinch met de gemeente vanwege stankoverlast, en Jan Korver, die zijn slachtplaats wil uitbreiden, heeft mot met zijn buren vanwege de versmalling van hun gezamenlijke overpad, en die op voorhand met het gerecht dreigen, en Aris Groen van het tuincentrum heeft het aan de stok met de milieuambtenaar, die met een fikse boete dreigt als Aris niet doet wat hem wordt gezegd.

Plots verschijnt Lieuwe weer op zijn netvlies. Lieuwe, die zegt: Hier in het dorp gaan sommige middenstanders, waaronder pa, in hun doen en laten niet mee met de tijd, en zijn blind voor de vernieuwing die de tijd met zich meebrengt, waardoor ze zich te veel vasthouden aan tradities en dorpsgewoonten. Neem alleen al het geval Liefdegeest. Liefdegeest, jawel. Maar dat is een verhaal apart, die de gemoederen in het dorp al een jaar lang bezighoudt. De zonderling, die in zijn huisje aan het Zandpad woont en bij sommigen nog dagelijks over de tong gaat. De een weet dit en de ander dat over hem te vertellen, zoals alle dagelijkse gebeurtenissen in het dorp, en niets blijft met de mantel der liefde bedekt. Liefdegeest, die samen met zijn hond — een schapendoes — aan het Zandpad woont, en juist door die schapendoes zijn sommigen van mening dat hij een gewezen schaapherder is. Maar hoe dan ook, het blijft bij gissen.

Peer Liefdegeest, een lange, broodmagere kerel met een vlassig ringbaardje; op klaarlichte dag stond hij opeens als uit het niets midden op het Kerkplein, en eenieder vroeg zich verbaasd af: waar komt die kerel vandaan en waar gaat hij naartoe? Hij ging nergens naartoe, bleef waar hij was samen met zijn hond, en leeft nu aan het Zandpad zijn eigen leven en is niemand tot last. Alleen op zaterdag zie je hem in het dorp, een jutezak over zijn schouder en de hond aan zijn hielen. Gekleed in een blauwe boezeroen en een vale manchesterbroek en op gele klompen. Met de blik star op de grond gericht, loopt hij iedereen zwijgend voorbij. Hij doet zijn inkopen bij Van Eeten, de kruidenier, steevast hetzelfde recept: koffie, thee, een pak suiker, een pondje margarine en een fles melk. Van daar naar slagerij Korver voor een stuk doorregen spek, een pondje riblappen, een pak uitgebakken kaantjes plus een met- en een leverworst.

De groentewinkel van Lakens loopt hij voorbij, want Liefdegeest heeft achter zijn huis een knaap van een moestuin, waar een parmantige haan en een koppeltje kippen vrij rondscharrelt, en prompt zet dat de tongen weer in beweging,. Want zeg zelf: achteruitschrapers in je moestuin, wie doet nu zoiets? Zo komt er van het zaaigoed niets terecht.

En dan is er nog iets waar menigeen zich het hoofd over breekt: als Liefdegeest iets koopt, telt hij het te besteden bedrag in kleingeld uit

7

op het glazen blaadje. Dat verhaal komt van Piet Scheer, en hij kan het weten, hij was er immers zelf bij. Dat roept weer vragen op: niet werken en toch geld? En velen, met hun dorpse sluwheid, vragen zich af: waar doet-ie het van?

Degene die onder al die dorpsroddels sto cijns en kalm blijft, is Liefdegeest zelf. Na het boodschappen doen zoekt hij de eenzaamheid weer op, trekt hij zich terug in het schemerduister van zijn huisje aan het Zandpad en luistert in de avonduren naar de geluiden van buitenaf, naar de ruisende adem van de wind, die ritselt in de hoge kruinen van de populieren rondom zijn erf. Dan kruipt een weemakend verlangen door hem, vouwt hij de handen en geeft hij zich over aan dat verlangen en de vele onbeantwoorde vragen die vanuit zijn ziel omhoogstijgen en aan hem zijn voorbijgegaan.

De week daarop gaat hij weer om boodschappen uit, doet zijn vertrouwde rondje door het dorp: eerst Van Eeten, de kruidenier, daarna slagerij Korver, hij telt zijn geld uit op het glazen blaadje, en toert weer op huis aan.

Maar deze week verbrak hij het ritueel. Onder vele verbaasde ogen van de dorpers stapte hij met de schapendoes aan zijn hielen het dorpscaf De Lange Jan binnen, zette zich achter een tafeltje, en bestelde een kop koffie en een bak water voor zijn hond.

Water? vroeg Klaas Kolster verbaasd en hij zette een kop dampende koffie op het tafeltje neer. Water voor een hond, daar doen we hier niet an.

Ik zal u betalen, ging de zonderling er rustig tegen in.

As-je dat maar doorhebt, maat, bromde Klaas. Da s vijftig cent voor de koffie en vijftig cent voor die bak water, en gelieve met gepast geld te betalen. En doe me een lol: laat voortaan die vlooienbaal buiten de deur.

Zo is dat, geen honden in het caf, en door de tabakswalm grijnsden sommige op sensatie beluste stamgasten naar de zonderling, die nooit een bek opendeed als je hem op straat tegenkwam. En Klaas Kolster heeft het hem s mooi onder de neus gewreven.

Liefdegeest zei niets; hij kende de aard van de plattelandsbevolking. Hij roerde in zijn koffie en staarde stilletjes voor zich uit.

Naastepad, de vrachtrijder, zei des te meer. Hij kwakte zijn kaarten op tafel, schoof zijn stoel achteruit, kwam overeind, en tot verwondering van iedereen stapte-ie met zijn grove, bonkige lichaam recht op de zonderling af. Hij trok een stoel onder het tafeltje vandaan en zei met een stem als een klok: Trek je van die sikkeneurige snuit van Klaas Kolster maar niks an. Het bier verschraalt al als-ie er alleen maar naar kijkt. Allez, Klaas, voor ieder een klaartje. Ik betaal.

Zo n gulle geste trok de aandacht en alle blikken richtten zich naar het tafeltje met de onuitgesproken vraag: zal eindelijk na een jaar de zonderling eens gaan praten?

Maar die bedankte met zachte, vriendelijke stem: aan hem was het geestelijk nat niet besteed. Hij dronk zijn koffie op, kwam in zijn lange lengte van zijn stoel overeind, en liep met gebogen hoofd het caf uit met de hond in zijn kielzog.

Vervolgens stak het venijn de kop weer op, en de dorpstamtam liet zich horen. Want hoe de zonderling Naastepad, die het zo goed met hem meende, in zijn hemd liet staan, daar waren geen woorden voor. Naastepad zelf tilde er niet zo zwaar aan, zijn mening luidde: Als de man niet wil praten, dan houdt-ie zijn mond. Zo simpel is dat.

Zo dacht Naastepad, maar Kobus Korthals, de glazenwasser annex schoorsteenveger in het dorp, zat het verhaal hoog, en hij ging in het vuur van de roddel mee. Zijn devies was: Laat hem opdonderen, die kerel.

En of de duvel ermee speelde — wie zal het zeggen — laat Kobus nu met de ladder op zijn schouder op weg naar het huis van de bovenmeester de zonderling tegen het lijf lopen? En met op zijn netvlies het beeld van Krijn Naastepad, raapte hij al zijn moet bijeen, liep hij op de zonderling af en vroeg hem op de man af of het na een jaar langzamerhand niet eens tijd werd om te vertellen waar-ie vandaan komt, en waar-ie naartoe gaat, daar hadden ze in het dorp toch recht op, nietwaar?

Liefdegeest bleek lang over die vraag te moeten nadenken. Na tien minuten schudde hij zijn hoofd en zei: Waar ik vandaan kom, gaat niemand aan, en waar de wind me heen drijft, daar ga ik naartoe. Hij sloeg een kruis en liep in gedachten verzonken verder.

Met open mond staarde Kobus hem na, het slaan van een kruis werkte diep op hem in, en met geuren en kleuren kraaide hij het overal

9

rond, wat opnieuw stof deed opwaaien; hele stofwolken! Want wat daar werd verteld, was ongehoord, en vele dorpers keken omhoog naar het blinkende koperen haantje op de torenspits dat met alle windrichtingen meewaaide, en weer kwamen de tongen los. Een kruis slaan, misschien is het een afvallige monnik! Weer een ander meende dat hij een voortvluchtige moordenaar was die zich in hun afgelegen dorp verborgen hield. En vele bezorgde moeders waarschuwden hun kinderen om direct thuis te komen als ze ook maar een schim zagen van de moordenaar .

Maar hoe zijn kinderen? Ze luisteren met een half oor, vooral als hun nieuwsgierigheid is gewekt over iemand, al helemaal als het de zonderling betrof, en ze gluurden op de hoeken van straten en stegen, achter bomen en struiken wanneer de zonderling met zijn schapendoes op zijn wekelijkse ronde door het dorp sjokte. En o wonder, ze begonnen hem steeds minder te vrezen, en in hun kinderlijke onschuld waren ze misschien nog slimmer dan al die kwaadsprekers en bezorgde moeders bij elkaar.

Al die gedachten flitsen door Mans hoofd als hij de broodkar op de kruk zet voor het huisje van de zonderling en denkt: mijn vader heeft gelijk, als-ie in het dorp zijn boodschappen kan doen, kan-ie ook brood halen. Maar ik kan het hem beter vertellen dan mijn vader, hem stijgen de zorgen boven z n kop uit. Want de zaak loopt achteruit, in de ladekast stapelen de rekeningen zich op en de prijzen van het meel stijgen ook de pan uit. En pa maar klagen: Nog effe en ik kan de zaak opdoeken. En hij dan — Mans? Ook naar zee, net als Lieuwe? Maar Lieuwe heeft koppie-koppie; aan boord zien ze wel wat in hem, maar Mans is te stom dat-ie voor de duvel danst.

Nou, hij zal s kijken of op de waterput het gebruikelijke briefje onder de rode baksteen ligt, met daarop het oude recept dat hij uit zijn hoofd kent. Toch leest hij weer de woorden die op het briefje staan: n wit, n krop, n roggebrood en Verhip, voor het eerst valt het hem op: een mooi, duidelijk handschrift, goed leesbaar. Hij krijgt op zijn ventronde wel meer kattenbelletjes onder ogen, maar niemand schrijft zo mooi als de zonderling. En aan het handschrift te beoordelen, lijkt de zonderling opeens niet meer zo n zonderling als waar menigeen de man voor aanziet.

Maar het blijft een raadsel hoe hij aan het geld komt zonder dat hij een slag werk verricht. En pa zegt — maar die zegt wel s meer wat — hoewel, de laatste tijd is hij niet te genieten, telt alleen zijn eigen zorg...

Zo, jongeman, zo diep in gedachten verzonken?

De zonderling staat plots naast hem, lang, mager, zijn vlasbaardje wapperend in de wind.

Ik... stamelt Mans en hij lepelt vlug op: E n krop, n wit, n roggebrood...

Peer Liefdegeest knikt en voegt eraan toe: En een rol beschuit, zoals altijd.

Zijn blik blijft peinzend op Mans gericht, en hij vraagt zich af of in deze plotselinge ontmoeting een diepere betekenis schuilt. Mans, de jonge bakkersgezel, nooit eerder heeft hij met dat jong zo oog in oog gestaan als nu. Een vage glimlach glijdt over zijn gelaat, hij weet bliksemsgoed hoe er in het dorp over hem gekletst wordt. Een besef dat hem tot nu toe koud liet, maar nu vraagt hij zich toch af Zou Mans Mandemaker in die praat meegaan? Mans lijkt hem uit ander hout gesneden. Vriendelijk vraag hij: Een glas fris, jongeman? Je hebt straks weer een hele loop voor de boeg.

Een glas fris? Mans kan zijn oren niet geloven. Liefdegeest, die nooit een woord tegen iemand zegt, en hem een glas fris aanbiedt.

Loop maar effe mee. Liefdegeest koerst met lange stappen op huis aan en Mans loopt achter hem aan. Binnen springt de hond luid blaffend tegen zijn baas op. Mans laat hij grommend zijn tanden zien.

Kom verder, noodt Liefdegeest.

Mans deinst terug voor de blikkerende tanden en zegt: Breng eerst die bijtbek s tot bedaren.

Liefdegeest kijkt van de man naar de hond, schudt zijn hoofd en zegt: Geen angst, hij beschermt zijn baas. Siep, terug in je mand!

Mans, met het dreigende gegrom nog in zijn oren, zegt: Ik zou hem met geen vinger durven aanraken.

Een zacht lachje. Ik zou het ook maar niet proberen, maar ga zitten en neem er een paar minuten je gemak van.

Jawel, zitten, maar hij staat als het ware op hete kolen, en denkt aan zijn vaders mening: tijd is geld. En geld, daar draait het om bij de

familie Mandemaker, en als je het niet hebt, dan schuif je niet.
De zonderling denkt daar schijnbaar heel anders over. Hij zegt:
Morgen om deze tijd is het net zo laat. En hij schuift Mans een stoel
toe.
Daar zit-ie dan in het huis van de zonderling, met een glas fris in zijn
handen, en zijn blik dwaalt nieuwsgierig door de kamer. N o u
kamer? Een kamertje met daarin een tafel en vier stoelen, een kale
vloer, een potkacheltje, een kolenkit met daarin een tang, een hon-
denmand met een hond die hem dreigend in de gaten houdt, en langs
de wanden rekken vol boeken: kleine boeken, grote boeken, boeken
met linnen en leren kaften met gouden opdruk, en vanaf de zolder
bungelt een elektriciteitsdraad met daaraan een peertje. En dat vormt
het geheel.
Nippend aan zijn glas denkt hij: zo leeft dus de zonderling, in al zijn
eenzaamheid.
En Liefdegeest, die als het ware Mans gedachten leest, zegt: Tja, ik
geef het toe, veel bijzonders is het niet, maar wat moet een mens met
meer?
Ja, denkt Mans, en hij neemt een slok van zijn frisdrank. Maar de
doorsneemens wil alleen maar meer en als-ie denkt: nu ben ik er,
knijpt-ie er meestal tussenuit en bidden we met z n allen of-ie goed
aan de overzij mag komen.
Liefdegeest doet een graai in zijn broekzak, tovert een leren tabakzak
en een doorrokertje tevoorschijn, stopt zijn pijp, strijkt een lucifertje
af, zuigt zijn pijp aan, blaast een rookwolk uit waardoor zijn gezicht
een ogenblik in de tabakswalm schijnt te zweven, en observeert voor
de zoveelste maal Mans Mandemaker, de jonge bakkersgezel die hem
elke week trouw het brood bezorgt, ondanks die lange tocht naar het
Zandpad. Voor Peer Liefdegeest in feite een averechtse gedachte, als
hij toch zijn wekelijkse boodschappen in het dorp doet en de bakkerij van Mandemaker voorbijloopt.
Hij puft een paar maal aan zijn pijp en trekt een diepe denkfrons in
zijn voorhoofd terwijl hij zegt: Voortaan kom ik het brood wel halen,
dat scheelt jou een hele tippel. Zeg nou zelf?
Zeggen? Mans zegt niks, hij draait het glas rond tussen zijn vingers
en denkt: je moest ns weten wat mijn vader vanochtend zei

12

Liefdegeest puft weer eens aan zijn pijp, en gaat er gemoedelijk op door. Ja, ja, ik weet wet, voor de een ben ik de zonderling, voor de ander een lomperd of waar ze me dan ook voor verslijten. En plotseling, met een ongeduldig gebaar: En jij, Mans, hoe denk jij over die vreemde vogel die in jullie hechte gemeenschap is neergestreken? Dan, met een ongeduldig handgebaar: Laat ook maar. Het is hier stil aan het Zandpad, dat zet je aan het denken, en ik denk veel de laatste tijd. Maar denken staat vrij, nietwaar?

Ja, antwoordt Mans met zijn gedachten bij Mandemaker senior, die met pijn in het hart het verval van zijn zaak ziet, waarvan hij de schade niet kan lijden en de schande niet kan dragen. En aan zijn broer Lieuwe, die niks voor de bakkerij voelt en zijn heil op zee zoekt.

Een windvlaag rent over het dak, doet de boomkruinen ritselen, en doorbreekt de stilte in de kamer. Voor hij het beseft, rolt het over zijn lippen: Het is gedaan met de bakkerij, we kunnen de boel niet draaiende houden. En tot zijn eigen verwondering denkt hij: trek ik me de zorgen van pa dan toch aan?

Liefdegeest neemt een trek van zijn pijp, knikt en zegt: Het is me bekend, ja, en wat nu? Gooi jij het bijltje er ook bij neer?

Ik?

De zonderling zet hem aan het denken met die vraag. De zonderling, van wie de dorpers zeggen: Het is een eigenaardige kwast waar je geen hoogte van krijgt. Laat hem opdonderen. En sommigen weten te vertellen dat je in de herfst in de schemering Liefdegeest in zijn kamer kunt zien zitten met de ellebogen op zijn knie n en het hoofd rustend in de kom van zijn handen, doodstil als een beeld. En zij die dat zeggen, liegen niet, want er hangen geen gordijnen voor de ramen. Je kunt zo naar binnen kijken, en al waren de stoutmoedigen nieuwsgierig naar de waarheid, verder dan het Zandpad durfden ze niet te gaan.

Liefdegeest tuurt naar Mans en herhaalt zijn vraag. En geef jij er de brui aan, net als je vader?

Ik, eh... Hij aarzelt, drift welt in hem op. Verdomme, Liefdegeest vraagt maar, en wat heeft-ie d r feitelijk mee te maken? Maar tegelijk dringt de gedachte zich aan hem op: hoe kom ik opeens op zo n vertrouwde voet met die man? De zonderling, die iedereen stilzwijgend voorbijgaat, wat zegt-ie nu?

Je moet zo denken: het is je vaders levenswerk.

Ja, vertel hem wat. Mans vader; vroeg op, laat naar bed. Een leven van hard werken dat geen vruchten afwerpt, en die met de moed der wanhoop toch in zijn jongste zoon zijn opvolger ziet. En Lieuwe die een lange neus naar hem maakt en zegt: Mij niet gezien. En tegen pa: Word weer lid van de vakbond, alleen doe je niks, met z n allen sta je sterk.

Jawel, sterk tegenover die pas geopende broodfabriek, met zijn roodglimmende bestelauto s waarop de leus *Kwaliteit zit gebakken* prijkt. Dan hij: Mans, sjokkend achter zijn broodkar van deur tot deur voor een hallefie wit en een hallefie bruin .

Ligt het praten je zo moeilijk, jong? De stem van Liefdegeest, vol vertrouwenwekkende belangstelling.

Plotseling wordt hij overspoeld door een golf van weemoed die hem week maakt. Tranen springen in zijn ogen en met het beeld van zijn zwoegende vader voor ogen klinkt het gesmoord: Die rotfabriek doet ons de das om.

Liefdegeest knikt. Hij merkt het wel, het zit die knaap hoog, en Mans geeft zich in een opwelling van vertrouwen volledig bloot.

Ik weet niet voor hoeveel we bij de meelmaalderij in het krijt staan, en misschien ook wel bij de bank...

Tegelijkertijd denkt hij geschrokken: stom stom je zo te laten gaan, jezelf te kleineren en te vernederen tegenover de zonderling, niet meer dan een vreemdeling in het dorp. Wat zal die man niet van hem denken?

Ja, wat denkt de zonderling? Heel wat anders dan Mans kan vermoeden. Hij denkt aan de wetten van het leven, die zich steeds herhalen door de eeuwen heen. Onveranderlijk in rijkdom, armoede, kou, honger en dorst. De liefde die de mens bindt, de haat die ontkracht, het instinct van zelfbehoud en verweer dat uit de ondoorgrondelijke ziel opwelt, vooral als het eigen bloed spreekt. Liefdegeest weet van dit alles, heeft ertegen gestreden, ten slotte erin berust en de eenzaamheid opgezocht. Voor menselijke gevoelens sluit hij zich af, hij wil zich er niet meer in verdiepen.

Hij neemt een trek van zijn pijp en zegt op trage toon: Je doet er beter an te zwijgen dan te praten, Mans, en jij weet bliksemsgoed hoe ik dat bedoel.

En of-ie het weet, en Mans zwijgt in de moeizame zelfbeheersing van een man die weet dat hij zich in vertrouwen te veel heeft laten gaan. En dat alleen door die vriendelijke geste van de zonderling, die hem op een glas fris trakteerde, of door dat moment van vertrouwen dat in de ruimte van de kamer zo plotseling tussen hen in gleed. Hij weet het niet, komt er niet uit. Opeens springt hij op, neemt de broodmand onder zijn arm en met het vooruitzicht van nog een hele tocht naar huis, zegt hij: Ik moet er nodig vandoor, en voortaan haalt u het brood zelf?

Geen antwoord, met een heldere blik neemt Liefdegeest Mans op van top tot teen, alsof hij diens menselijke waarde inschat. Ineens plooit een glimlach zijn gelaat als hij zegt: Doe je vader de groeten van me.

Dat doet Mans, en zijn vaders verbaasde antwoord luidt: De groeten van die, hoe moet ik me dat voorstellen? En heftig zwaaiend met een grauwe witte envelop: Hier, de rekening van de graanmaalderij, de zoveelste. Slapeloze nachten heb ik ervan. Soms denk ik: het is beter niet te denken wie ik ben. Begrijp je, jongen?

Mans begrijpt het.

Het leven is wat je overkomt, terwijl een ander plannen maakt : dat is Aai Mulder, hun naaste buurman en tevens de eigenaar van de graanmaalderij. Hij bouwt een nieuw huis met garage en is in zee gegaan met de meelfabriek voor de wekelijkse aflevering van het meel. En dat is de vrijehandelsmarkt, maar de opkomende broodfabrieken concurreren de kleine bakker op het platteland kapot, en Aai Mulder helpt daarbij een handje mee. Voor Mandemakers ogen zweeft het beeld van Mulder, met zijn vierkante kop, zijn mopsneus en zijn driedubbele onderkin. Het liefst gaf hij hem een klap op zijn kale kanis, maar bakkerij Mandemaker, met zijn onbetaalde rekeningen, is afhankelijk van de goodwill van Aai Mulder. Dus houdt pa zijn fatsoen, al griept het in hem, en blijft hij beleefd.

Je bent laat. Dat is pa, met een blik op de klok. Waar heb je zo lang uitgehangen?

Zal hij alles vertellen over de zonderling? Pa zal zijn oren niet geloven en zeggen: Gezever van een ouwe vent, daar word je niet wijzer van. Nee, beter maar te zwijgen. Hij gespt zijn geldtas af, legt hem op de toonbank neer en met zijn gedachten bij een van de vele pofklantjes zegt hij: De weduwe Hakvoort betaalt volgende week haar rekening.

Pa s nijdige gegrom: Eerst zien, dan geloven.

Dan klost hij op zijn platvoeten door de bakkerij en trekt hij een bakplaat met croissantjes uit de oven. Versgebakken croissantjes; een speciale bestelling van mevrouw Mulder voor de verjaardag van haar man. En zeg zelf: een croissantje mag op een feestelijke tafel niet ontbreken. En ook Steef Staal, de directeur van de broodfabriek, is uitgenodigd. Handelsrelaties, jawel, en met zo n man leg je tegenover je gasten eer in, nietwaar?

Staal, een naam van betekenis en goed voor zijn personeel. Vijftien man in getal en iedere week gratis een doos taartjes en een krentenmik. Het personeel loopt met hem weg, en Floor Kwinten, een vaste kracht in de broodfabriek, had tegen pa gezegd: Man, man, alle dagen dat geploeter, dat wordt toch niks meer? Een teruglopende zaak. Geloof me, Staal ziet je graag komen, vooral een gespecialiseerde banketbakker zoals jij.

Pa gromde: Kan zijn, maar zolang ik kan, blijf ik liever eigen baas.

Floor Kwinten schudde zijn hoofd en zei: Eigen meester, eigen knecht. Werk jij je maar kapot.

Ouwehoer, gromde pa, en deed er verder het zwijgen toe.

HOOFDSTUK 2

Da s de leste keer dat ik je meel op de pof lever, zegt Aai Mulder tegen Goof Mandemaker. Voortaan is het handje-contantje, as je dat maar weet. En hier heb je de rekening.

Goof zucht, en of hij het weet: alles in de wereld draait om geld. Geld, het duivelse kwaad, het aardse slijk, maar heb je het, dan doe je wonderen en heb je het niet, dan is het donderen. Hij werpt een blik op de rekening, de cijfers dansen voor zijn ogen. Zo veel? schrikt hij. Ik wist niet dat...

Ja, en dat dit er nog bij. Mulder tikt met zijn vinger op de rekening. Wordt het niet s tijd dat je over de brug komt?

As je me een maandje krediet geeft, bedelt Goof, dan zal ik het bij elkaar zien te graaien.

Hoe? vraagt Aai Mulder, en hij kijkt de zaak rond. De boel rent hier achteruit. Nee, daar heb ik geen vertrouwen in.

Goof zucht. Aai Mulder heeft gelijk. Ondanks al zijn harde werken zakt hij steeds dieper het moeras in, een besef dat vanbinnen aan hem knaagt. Hij werpt een schuwe blik op Aai en zegt: De schuld ligt bij de broodfabriek, daar kan een dorpsbakker niet tegen opboksen, de concurrentie is te groot.

Quatsch, gromt Mulder, gewoon vrije marktwerking, da s een eerlijke zaak.

Eerlijk? Ja, voor jou, meteen betaald bij het afleveren van het meel.

Ja, eerlijk, gaat Aai Mulder verder, en hij schuift zijn brede achterste op een meelvat. Je ziet het gewoon verkeerd.

O ja? Hoe zie jij het dan?

Aai Mulder kent krimp noch kramp. Hoe ik het zie? Luister... Vol overtuiging zet hij zijn visie uiteen. Als ik in jouw schoenen stond, wist ik het wel: doekte subiet de zaak op en ging in de sanering. Kun je rustig-an doen, en met je spaarcentjes erbij heb je nog een mooie dag.

Spaarcentjes! Laat me niet lachen. De laatste jaren is er geen sparen meer bij. Soms leven we van het geld dat Lieuwe ons maandelijks toestuurt. Jij ben de eerste aan wie ik het eerlijk vertel.

Aai: kijk hem daar zitten met zijn dikke gat op het meelvat, maar helemaal ongelijk heeft hij niet. Er bestaat een afkoopregeling voor de plattelandsbakkers die door te grote concurrentie hun bakkerij naar de ratsmedee zien gaan.

Als ik jou was, wist ik het wel. Dat is Aai.

Ja, Aai weet het wel, hij trouwde de dochter van zijn baas, en zij erfde als enig kind de graanmaalderij. Aai was van de ene op de andere dag van knecht naar baas. En Goof, hij erfde het familiebedrijf: een goed renderende bakkerij die van vader op zoon ging. Bakkerij Mandemaker, een begrip in de hele regio. Maar zijn voorgeslacht had het tij mee, en hij bokst de laatste tijd tegen allerlei narigheid op. Maar het allerzwaarst is de te grote concurrentie van de broodfabriek. Die betekent voor hem de nekslag, al klampt hij zich tegen beter weten in nog altijd vast aan de illusie van Mans, die later En het grient in hem als hij zachtjes zegt: Ik heb nog altijd mijn hoop op Mans gericht.

Wees toch wijzer, gromt Aai. Als dorpers onder mekaar kunnen we elkaar wel wat zeggen. Wil je Mans die ellende in zijn schoenen schuiven, een zaak waarin geen toekomst zit? Wees wijzer.

Aai heeft gelijk, Mans verdient het niet, maar als een mens verdient waar hij recht op heeft, kan hij wel huizen en kastelen bouwen. Goof gluurt naar Aai, die zittend op het meelvat de punten van zijn sierlijke snor opstrijkt, en worstelend tegen al die teleurstelling en pijn die dit gesprek teweegbrengt in hem, zegt hij: Ik leg hem het vuur niet aan de schenen, hij moet zelf maar beslissen.

Je liegt, dreunt het door hem heen, jij hebt al voor Mans beslist, en Mans, met zijn goedaardige karakter, gaat daar niet tegen in. Maar op Lieuwe heb je geen vat, die zegt: Ammenooitniet, dat verlopen zootje.

En wat zei Mans?

Aai glijdt van het meelvat af, in zijn hart mag hij die jonge knul wel, dag en nacht verschil met zijn broer. Lieuw is een rouwdouwer, die geen zee te hoog gaat en die zegt waar het op staat.

Mans? Niks...

Mans is een binnenvetter, daarin is hij krek zijn moeder. Ant zegt ook nooit veel, maar wanneer ze wat zegt, snijdt het hout. En Ants mening over de zaak is: Op vergane glorie kunnen we niet leven, je zult hier of daar als bakkersgezel aan de slag moeten.

Hij, met een grauw: Het komt allemaal door die verdomde broodfabriek.

Ant: Waar het door komt, komt het. Maar hier moet het roer andersom, en als die broodfabriek

H, wie praat daar ook over de broodfabriek? O, dat is Aai, die uit een dikke rundlederen portefeuille nog een paar rekeningen tevoorschijn tovert.

Met een blik op Goof stopt hij de rekeningen weer weg en bromt goedig: Nou, vooruit. Je hebt zorgen genoeg an je kop. Betaal me die ene rekening maar, dan valt over die andere te praten. En wat de zaak betreft: ik weet dat het je aan het hart gaat, maar beter de zaak an de kant, dan jij straks onder de groene zoden. Man, man, je hebt een kleur als een goor hemd en bent mager als een graat.

Goof worstelt met Mulders genadeloze woorden, maar als hij in zijn eigen hart kijkt Hij snuft een paar maal, haalt zijn zakdoek tevoorschijn, slikt een paar keer en dan klinkt het gesmoord: Je moet zo denken, Aai, het is wel een familiebedrijf waarin een stukkie van mezelf zit.

Kan zijn, maar van vergane glorie kun jij niet eten.

Snauwend: Alsof ik Ant hoor. Goof wrijft met de rug van zijn hand langs zijn ogen. Verdomme, waarom ziet hij Aai opeens zo wazig?

Da s verstandige praat van je vrouw.

Ant, vroeger zaten Aai en zij samen in een klas. O, hij ziet haar nog zo voor zich, Antje Mereboer: een stoere meid, twee blonde vlechten met twee rode strikken, een paar lachende, blauwe ogen en een mond als een rijpe kers. Alle jongens in de klas waren een beetje verliefd op haar. Maar eenmaal op de huwbare leeftijd zag Ant er maar n, en dat was Goof, die spontane, vlotte knul en enig zoon van bakker Mandemaker, eigenaar van een goedlopende bakkerszaak die in de hele regio bekendstond om de kwaliteit van zijn brood en gebak. Dat was toen, maar de tijden zijn veranderd en er is niet veel over van die spontane knul van vroeger. Goof Mandemaker is nu een tobbende man, die ondanks al zijn harde werken zijn hoofd amper boven water kan houden, en dat buiten zijn eigen schuld om. Hij heeft meer tegenspoed te verdragen gekregen dan een man aankan.

19

In dat opzicht heeft Aai met Goof te doen, en zachtjes zegt hij: Denk nog s over mijn woorden na, Goof. De zaak an de balk en jij een beter leven, en als je dan toch wat wilt: de broodfabriek zit om vakkundig personeel te springen, en Staal is de kwaadste niet en goed van betalen. Als ik je een raad mag geven: ga s met hem praten.

Vanzelf, na al wat Goof van horen zeggen heeft, Aai Mulder zal Staal niet afvallen, ze zijn zogezegd twee handen op n buik.

En Sientje Mos voorspelt met een zuinig gezicht: Het is in en uit met die twee, maar let op mijn woorden: als dat ruikertje gaat stinken, komt r een luchie af.

Dat van dat ruikertje gaat aan hem voorbij, want vrouwen hebben hierover zo hun eigen mening. Mannen hebben heel andere praat, zoals Aai Mulder, die het naar eigen zeggen zo goed met hem meent, hem alles zo mooi voorspiegelt. Staal, een weldoener, en is de man werkelijk zo rijk als wordt beweerd? En waarom moet het lot juist hem, Goof Mandemaker, hebben? De verdiensten lopen terug en de pofklantjes lopen op. Verdraaid, wat is dat nou? Gaat hij zichzelf zien als een mislukkeling, een schlemiel die in het leven niet geslaagd is? Plotseling begint hij stoer: Vroeger hadden we vier vaste krachten in dienst, en in de hoogtijdagen kwamen er nog twee oproepkrachten bij. Om vier uur s nachts begonnen zij al met brood bakken, en om zes uur ging het gebak de oven in. Verdraaid, hij begint een beetje op te snijden, Goof Mandemaker. En op zaterdag naast Ant nog drie meiden in de winkel, en nog kwamen ze handen tekort om al die klanten te bedienen, en het gebak was niet an te slepen.

Ja, ja... bromt Aai Mulder, hij hoort in bakker Mandemakers woorden de grief die hem door derden wordt aangedaan en dat is directeur Steef Staal, met zijn naar de eisen des tijds volop draaiende broodfabriek waar niet tegen op valt te boksen, zodat menig kleine bakker het loodje legt. Een vernedering die voor sommige bakkers tot zelfverachting leidt, en met gloeiende tanden aan hun eerzucht vreet, en die het voor gezien houden om te redden wat er nog te redden valt. Pronk aan de Smidsweg legde het eerst het loodje, nog geen drie maanden daarna bakker Stolk, pal daarop Van Hees en kortgeleden bakker Molenaar. En met het beeld van de goedlachse Molenaar voor ogen, die tegen Aai had gezegd: Het is een hard gelag, maar eerlijkheids-

20

halve dient gezegd: Steef Staal koop voor goed geld de bakkers uit, zegt Aai: Ik begrijp dat het niet voor je meevalt, Goof, maar neem Molenaar: geen kommer en kwel meer, en zijn mening is: Over vroeger wil ik niet horen, ik leef bij dit ogenblik.

Goof voelt zich door die woorden onzeker wanneer hij Aai Mulder hoort, en hij vraagt zich af of hij Steef Staal dan toch verkeerd inschat. Steef Staal, met zijn toerende sportwagen, zijn broodfabriek en zijn glimmende, blinkende bestelwagens, is Goof een doorn in het oog, en of hij zichzelf moed wil inspreken, zegt hij: Als ik jou zo hoor, Aai Mulder En trouwens, Eef Dompert aan de Laagzij draait nog volop.

Wees toch wijzer, is het antwoord. Geen kopzorgen, geen sociale lasten, een koude bakker, dat weten we beiden.

Of hij het weet. Eef Dompert, een lepe gozer met aangeboren boerenslimheid. Al jaren runt hij een winkeltje aan de Laagzij. Eef Dompert, de concurrentie is er nooit een cent armer of rijker door geworden. Wat kletst Aai nu weer?

Eef betrekt nu zijn brood van de broodfabriek.

De broodfabriek er roest een pijn door zijn denken, altijd weer die broodfabriek. Je kunt er niet langs en niet omheen. De broodfabriek staat daar in zijn volle glorie, draait op volle toeren en draait de broodbakkers de nek om.

Narrig valt hij uit: Brood? Het zullen wel de restanten zijn, en Staal denkt ook: beter aan Dompert voor een paar centen, dan voor niks in de varkenston van Bertus Lamoen.

Geef m ongelijk, glijmt Aai. Kan-ie voor dat brood nog een paar centen rekenen, snijdt het mes aan twee kanten: Staal tevreden, Dompert blij. Dan, overgaand tot de orde van de dag: Nou, eh, Mandemaker, wat die ene rekening betreft, wat doe je?

Weg is het vertrouwde moment van zo-even, Aai Mulder is weer de meelhandelaar die op zijn geld wacht en hij de bakker die omhoog zit en niet weet waar hij het geld vandaan moet halen. Fronsend staart hij naar de rekening en de cijfers dansen voor zijn ogen. Het zweet prikt onder zijn haren en hij voelt zich doodongelukkig. Hij doet een greep in de la, tovert een paar bankbiljetten en wat kleingeld tevoorschijn, legt het op de toonbank neer, kijkt Aai Mulder met een doffe blik aan en zegt: Da s alles.

Ik geloof je, klinkt het zonder medelijden. En als je het an t eind van de week betaalt, dan, eh...

Aan het eind van de week? schrikt Goof.

Ja, wat dacht je dan? Mijn schoorsteen moet ook blijven roken.

Vanzelf, Mulder komt het ook niet aanwaaien, maar financieel staat hij er toch een beetje beter voor dan bakker Mandemaker met zijn teruglopende zaak, en deemoedig zegt hij: Strijk je hand nog s over je hart, Aai. Aan het eind van de maand, eerder heb ik het niet...

Nou, vooruit, daar houden we t op, bromt hij goedig, we kennen elkaar al jaren, moeten we maar denken.

Ja, mompelt Goof. Maar het teruglopen van de zaak is niet mijn schuld.

Weet ik, weet ik... geeft Aai toe.

Als de broodfabriek... begint Goof zwakjes, Dan...

Maar prompt valt Aai hem in de rede. Luister s, Goof, broodfabriek of geen broodfabriek, handel is gewoon keiharde business. Of je wordt rijk, of je staat op de dijk, en wat die rekeningen betreft: als dat zo doorgaat, wordt het zo dat ik mijn geld in jouw zaak steek, en daar pas ik voor. Het is maar dat je t weet.

O, Goof weet zoveel, en reken maar dat al die zorgen boven zijn kop uit groeien, zodat hij er s nachts niet van kan slapen en uren met zijn blote voeten over het koude zeil loopt. Maar dat weet Aai niet, die slaat hem met een aantal rekeningen om de oren, wil geld zien, en dat is zijn goed recht.

Dus, an het eind van de maand kom je over de brug. Het is Aai, die aandringt, tegelijkertijd een geopende sigarendoos onder zijn neus duwt en op amicale toon zegt: Hier, neem een rokertje; scheiden we niet als kwaaie vrienden. En plotseling: Hoe is het met Ant?

Ant, Goofs vrouw, onthutst kijkt hij Aai Mulder aan alsof hij wil zeggen: Wat kan jou dat schelen? Maar hij zegt: Best, maar hoe kom je daarop?

Ach, zomaar.

Aai Mulder haalt zijn schouders op. Voor zijn ogen verschijnt het beeld van twee blauwe ogen en blonde vlechten met daarin rode strikken. Een beeld dat hem zijn hele leven is bijgebleven en dat, als hij daaraan terugdenkt, een kleine zoete pijn in zijn hart beroert. Ant Mandemaker, hij is haar nooit vergeten, en als ze gewild had, had hij alles voor haar in de steek gelaten: zijn ouderlijk huis, het dorp. En toen hij het haar eerlijk bekende, en met zijn figuur van verlegenheid geen raad wist, glimlachte ze alleen maar en zei: Zet die onzin maar uit je hoofd, dat risico moeten we maar niet nemen.

Opeens valt het uit zijn mond: Als jullie het niet langer redden, wil ik de zaak wel kopen.

Kopen? Jij? Voor een appel en een ei zeker, Aai Mulder?

Nee, nee, klinkt het haastig. Daar valt over te praten. En voor het eerst vraagt hij zich af: zou Ant ooit aan Goof hebben verteld dat hij... En alsof het zo moet zijn, staat ze plotseling in de bakkerij, met in haar hand een dienblaadje met drie kommen dampende koffie.

Ik dacht: daar hoor ik Aai, zegt ze lachend. Die lust ook wel een bakkie, of ik zou me heel erg moeten vergissen. Hier, pak an. Koffie met slagroom, de enige troost voor een mens in sombere tijden. En tot Goof, die er wat verloren bij staat: Is er op de valreep nog een allerhandje?

Hij wijst. In het blik achter je. En denkt: de weekreclame van vorige week, een pond roomboterallerhande, dan zou je toch denken maar niks hoor, koeken voor 75 cent van de broodfabriek, ze vlogen weg en bakker Mandemaker bleef zitten met zijn koekreclame. Beste roomboterallerhande, weg voor varkensvoer, en Bertus Lamoen is de lachende derde.

Ant babbelt honderduit met Aai Mulder, die rijk geworden is door zijn schoonvader, diens zaak erfde toen hij met Greet trouwde. Greet, een goedaardige dikzak met altijd een vriendelijk woord. En Goof erfde de bakkerij en trouwde Ant. Jaren van overvloed en de geboorte van twee gezonde knapen, dan denk je: het kan niet meer stuk. De jongens zijn nu volwassen en de zaak bijna failliet en Goof zet tegen beter weten in zijn kaarten op Mans, maar hij kijkt achterom en ziet alles zo ver weg als een herinnering.

En maar praten, die twee. Vrouwen; hoe ook de stemming is, ze hebben altijd wat te kwekken. En Aai heeft zijn mond vol over Janus Kuiper, jaren achter de vuilniswagen gesjouwd en nog geen halfjaartje met pensioen of hij ligt aan een ziekte die hem vanbinnen weg-

vreet. Janus, in gure herfstdagen warmde hij zich gauw-gauw eventjes in de bakkerij. Janus en zijn vrouw hadden het niet breed, en vele
malen heeft Goof hem een gratis krentenmik onder de arm gescho-
ven. Hier, Janus, eet er maar lekker van. Nu zal hij die vrijgevigheid
wel uit zijn hoofd laten. Nog even, dan gaat hij zelf kopje-onder, en
wanneer hij weer bovenkomt, staat hij met lege handen. Wordt het
dan toch de broodfabriek, wat Aai Mulder hem voorhoudt? En Mans,
die hij altijd heeft gezien als zijn opvolger, ook naar zee, net als
Lieuwe?

En die twee staan maar te ratelen. Dan Ant, dan Aai, al het wel en wee
gaat over de tong. Ant weet dit, Aai weet dat. Zo gaat het hier al jaren,
peinst Goof. We kennen elkaars lief en leed, vreugd en smart, en de
broodfabriek houdt vele monden open. De broodfabriek, de vooruitgang in de regio, en niets zal meer blijven zoals het altijd in het dorp
is geweest. Alles verandert, in een uur, een dag, een jaar, en als de
avond valt, zijn we met z n allen een dagje ouder en keert de dag nim-
mer meer, en de tijd glijdt heen, als een tjalk aan de verre horizon.

Opeens sleurt Ants heldere lach hem uit zijn gedachten. Ant, die
ondanks alle tegenslag het hoofd koel houdt en de moed erin. Alle
dagen hoort hij: Kijk niet zo sikkeneurig, Goof Mandemaker, komt
tijd, komt raad.

Ant, zonder haar kan hij zich zijn leven niet voorstellen, aan haar
levenslust trekt hij zich op. Ant doet een graai in het koekblik, pakt er
een zak allerhande uit en zegt met een joviaal gebaar: Pak an, Aai,
een koekie voor thuis.

Aai antwoordt verrast: Daar zal Greet blij mee zijn.

Greet, een zoetekauw, honderdzestig pond vel en been en schomme-
lend in haar vet. Nee, dan Ant, al mag ze er ook wezen, en Ant heeft
— ja, hoe moet hij dat zeggen? — dat typisch vrouwelijke dat Greet
mist. Greet gaat nergens diep op in, al voelt ze zich wel gevleid sinds
ze met Steef Staal omgaan.

Alles goed met Greet, Aai? Ants warme, belangstellende blik doet
hem het rood naar de wangen stijgen. Verdomme, dat hij zijn illusie
van haar nooit heeft kunnen loslaten.

Ze lacht. Heb je het zo warm? Je hebt een kleur as een boei.

Hij haalt een zakdoek over zijn gezicht en verschuilt zich achter een

24

smoes: Het is warm in de bakkerij.

In een bakkerij is het altijd warm en je moet zo denken: je houdt er een pondje allerhande aan over.

Aai grinnikt. Dat overkomt me niet alle dagen. Hij denkt aan Greet met haar vraatzucht, dat is straks hap-slik-weg, en foetsie pondje allerhande, en met dat besef in zijn achterhoofd zegt hij: Er zijn maar weinig dingen die ons in het leven gegeven worden.

Kom, kom, Aai Mulder, het is maar hoe je het bekijkt. zegt Ant.

Hij knikt. Je bedoelt zaken? Wat dat betreft heb ik geen klagen. Er zijn belangrijker dingen in het leven dan zaken en geld verdienen.

Zoals?

Dat we oren hebben om te horen, en omzien naar onze naasten.

Hoor daar, dat zegt een vrouw wier man met zijn zaak aan de rand van een faillissement staat, dan moet je toch lef hebben. Hij ziet haar vriendelijke gezicht, haar blauwe ogen, de zonnestraal op haar schouders die vervaagt langs de wanden. Op slag zinkt hij weer in zijn illusie en scherper dan zijn bedoeling is, zegt hij: Omzien naar je naasten, het is mooi gezegd, maar als het zo is wie, ja, wie? En jij weet bliksems goed hoe ik dat bedoel.

Jawel, klinkt het koeltjes. En daar heb ik geen hogeschool voor nodig.

Plotseling doet ze een stap naar voren, komt zo dicht bij hem dat ze bijna met haar fraai gewelfde boezem tegen hem aan staat, kijkt hem strak in de ogen en zegt: Als jij daar eens mee begint, Aai Mulder, tot voorbeeld van velen.

Wat? Ik? Je denkt toch niet dat ik de Nederlandse Bank ben?

Nee, antwoordt ze met zuinig toegeknepen mond, maar je bent wel de man geworden door je vrouw, en je had vanaf het begin de wind mee. Hoeveel zakken meel heb jij in al die jaren, aan al die warme bakkers van toen geleverd? Goed, goed, ik zal niet zeggen dat je er schatrijk door bent geworden, maar ook niet arm. En als de enige graanmaalderij hier in de regio heb je er een aardig centje aan verdiend. Je hebt een kast van een huis laten bouwen plus garage, rondom een tuin laten aanleggen en een gedeelte van de graanmaalderij verbouwd. En hoeveel bakkers hebben in de tussentijd het bijltje erbij neergegooid? Nou? Geef daar s antwoord op?

Het irriteert hem, wordt hem daar even de oren gewassen, en het meest ellendige: ze heeft nog gelijk ook. Wat onwillig geeft hij toe: Van dat huis is waar, maar van de graanmaalderij, dat werd hoog tijd, daar moet ik van leven. En van die bakkers: dat kun je mij niet in de schoenen schuiven, dat ligt heel anders.

Je bedoelt de broodfabriek.

Precies, vraag het je man.

Ik vraag het jou, niet mijn man, en wat die rekeningen betreft: je zit niet meteen aan de bedelstaf, strijk je hand nog s over je hart en kom volgende maand nog s langs.

Nog meer uitstel, het wordt hem een beetje grauw om de neus, zijn neusvleugels verwijden zich alsof hij stoom wil afblazen, en hij vraagt zich af of ze hem als de kwade geest ziet.

Ant, in haar zit meer pit dan in Goof Mandemaker, die kwam als enige zoon in een opgemaakt bed. En hij, Aai, heeft als knecht jarenlang met meelzakken moeten sjouwen, voordat hij de dochter van zijn baas aan de haak sloeg. Goed, vanaf die tijd had hij wind mee, maar hij heeft ook geen herenhandjes. Nee, herenhandjes heeft Steef Staal.

Steef, zoon van een gewiekste beurshandelaar en rijk geworden in opties en aandelen, en waarover Steef zelf zegt: Beurshandelaren? Ze zijn erg goedneems, en ik kan het weten.

Maar Steef heeft er in de schaduw van papa s kapitaaltje een pracht van een broodfabriek aan overgehouden. En wie heeft dat geluk?

Nou, Aai, wat doe je? Het is Ant, die aandringt. Jij en Goof waren vroeger toch vrienden?

Wacht even, gaat ze op zijn gemoed werken? Ant is ouder geworden, maar ze kan nog altijd voor de kramen langs, die glanzende ogen, die warmrode lippen, dat volslanke lijf, verdomme verdomme Dat alles toch zo anders is gelopen.

Nou, vooruit, geeft hij zich gewonnen, meer voor haar dan voor zichzelf. Maar dan ook boter bij de vis, en als ik je een goede raad mag geven: ga s praten met Steef Staal.

H , ja, Steef Staal, waarmee jij een contract hebt afgesloten voor de levering van meel.

Zo, dat komt aan, een felle achterdochtige blik schiet naar haar uit en nors klinkt het: Handel is handel, nietwaar?

Je hebt gelijk, Aai Mulder, handel is handel, de een zijn brood is de ander zijn dood.

Hij voelt de steek onder water, dus hij behoort tot degene die En als ze Ant Mandemaker niet was? Mandemaker, waarom geen Mulder? Als vergif zit haar beeld in zijn bloed, nu nog, na al die jaren, zou hij in staat zijn alles voor haar in de steek te laten. Zijn maalderij, zijn mooie huis, Greet, als zij zou willen Maar Ant is een vrouw van fatsoen en eer, en helaas heeft ze zich verkeken op die slapjanus van een Goof Mandemaker. Hij strijkt eens door zijn spaarzaam overgebleven haren, trekt zijn steeds afzakkende broek eens op, snuft een paar maal door zijn neus en zegt: Goed, jij je zin, maar houd je aan je woord.

Vergeet je allerhande niet, klinkt het koeltjes.

Zaterdag, vanaf s morgens vroeg staat Ant al in de winkel, ze legt de laatste versgebakken broden op het rek, schikt daarna het gesorteerde gebak in de koelvitrine. Ja, die koelvitrine, een hand met geld, het moest op last van de warenwet, maar ze vragen niet of je het kunt betalen. Enfin, het is betaald en de rekening van Aai Mulder ook, met het geld van haar verkochte gouden sieraden. Herinnering aan vroegere jaren, toen de winkel nog goed liep en ze geen zorgen kenden.

We zullen maar denken: de laatste stuiptrekking, zei Goof toen hij het geld op tafel uittelde.

En hoe koud klonken die woorden, alsof ze en klap in haar gezicht kreeg, de tranen sprongen in haar ogen en heftig viel ze uit: Je hoeft me er niet voor om m n hals te vallen, maar een beetje meer enthousiasme had ik toch wel verwacht.

Goof haalde zijn schouders op. Ik waardeer wat je gedaan hebt, maar als ik het had geweten, had ik gezegd: goed bedoeld maar niet doen, het is een verloren zaak. Dat beetje geld kan ons toch niet redden.

Jij! was ze opgestoven, Doemdenker die je bent. Koppijn krijg ik van je.

Slik een aspirientje, gaf hij als raad en hij was de bakkerij weer ingedoken.

Ze slaat een blik op het etalageraam, met daarin een geslepen embleem met de sierlijke letters *Mandemaker — luxe bakkerij* staat. Dwars door de schrijnende plek heen denkt ze: dat was eens, maar komt niet meer.

Stil liggen haar handen op een blikken bus, gevuld met bokkenpootjes, de weekreclame. Ze zucht. Reclame of geen reclame, ze blijven er wel mee zitten, net als met de roomboterallerhande. Als de loop uit de zaak is, dan is het gedaan.

Tring!

De winkelbel klinkt dwars door haar gedachten heen. En wie hebben we daar? Liefdegeest, de gonjezak over de schouder en de schapendoes aan zijn hielen. Als ze de moed had, zou ze zeggen: Geen honden in de winkel , maar de moed ontbreekt haar.

Liefdegeest, de zonderling, voor haar een trouwe klant, al komt hij eens per week, en dat is een tippel vanaf het Zandpad. Mans is een keer bij Liefdegeest in huis geweest en raakte er niet over uitgepraat. Een blind paard kan daar geen schade doen, maar een boeken! Boeken, wel twee wanden vol. Liefdegeest, Mans prijst hem de hemel in. Ze ging niet op zijn praat in, maar dacht wel: wat moet die man met al die boeken?

Liefdegeest zegt: Het oude recept, vrouw Mandemaker.

 Zal je hebben, man. Ze legt als altijd n wit, n krop, n roggebrood en een rol beschuit op de toonbank en waagt een kans: Een pond bokkenpootjes, Liefdegeest? Deze week zijn ze in de reclame.

Liefdegeest schijnt erover na te denken, pakt de gonjezak van zijn schouder, stopt het brood erin, schudt zijn hoofd en zegt: Ik ben geen koeketer.

 O, ik dacht... Ja, wat dacht ze? Ze kijkt naar de man die het geld op het glazen blaadje uittelt, gepast als altijd. Liefdegeest, die in zijn eentje aan het Zandpad woont, die twee jaar geleden als uit het niets gerezen op het kerkplein stond, en iedereen vroeg zich af waar die kerel vandaan kwam, maar die kerel zwijgt, en Mans zegt Plotseling valt uit haar mond: In je eentje te wonen aan het Zandpad, t zou mij niks lijken.

 De een is de ander niet, vrouw Mandemaker.

Nee, vertel haar wat. En sinds de winkel terugloopt, de meeste klantjes zijn overgelopen naar de broodfabriek — meer keus en goedkopere reclame, en eenieder zet zijn tering naar de nering — een besef dat als een vurige nagel in haar hart zit gebrand, en s avonds zitten zij en Goof zwijgend tegenover elkaar, want wat valt er nog te praten als er al zo veel is gezegd?

Liefdegeest knoopt met een touwtje de jutezak dicht, gooit hem over zijn schouder en zegt: Tot volgende week maar weer, vrouw Mandemaker.

Tot volgende week, mompelt ze, en ze denkt: waarom koopt hij toch geen pondje bokkenpootjes, ze zijn nog wel in de reclame, ze zou hem willen toeschreeuwen: Alsjeblieft, Liefdegeest, een pondje maar, ik weet het, het kan ons niet redden, maar vandaag de dag is elke cent er een.

Liefdegeest, een lange, magere lat, een hoekig gezicht, een ringbaardje als uitgeplozen touw om zijn kin, hij is niet meer dan een vreemde voor haar. Hij raakt haar wezen niet, zoals bij zo vele dorpers. Liefdegeest, de zonderling, en als je Mans hoort: een lettervreter, overal boeken waar je kijkt. Zou Liefdegeest dan meer zijn dan menigeen van hem denkt? Aarzelend schuift ze een zak bokkenpootjes over de toonbank, waagt een kans: De weekreclame. Pal daarop, met een lachje om haar zenuwen te verbergen: O, ja, da s waar, je bent geen zoetekauw.

Hij wil zeggen: Ik weet wel waarom je zo aandringt. Maar met een blik op de zorgelijke trek op haar gezicht zegt hij: Nou, vooruit, geef maar een pondje. Mijn hond lust wel een koekie.

Koek voor je hond? schampert ze. Zonde, man.

Dat zie je verkeerd, vrouw Mandemaker. Een hond is meer dan een vriend. Hij blijft zijn baas trouw tot in de dood. Dat is iets wat ik van menig mens niet kan zeggen.

Ze polst: Heb jij dan zo veel ervaring met mensen?

Ach... Hij strijkt met zijn hand langs zijn baardje. Laten we daar van uitgaan, maar als je ze beter leert kennen, ga je van dieren houden.

En de mensen haten, vult ze aan, ze kan erover meepraten. Steef Staal, en of het zo moet zijn, rijdt buiten de broodbus voorbij met de letters *Kwaliteit zit gebakken*. Tranen springen in haar ogen. Wat

wordt ze week, en dat waar Liefdegeest bij is. Hij zal wel denken...
Maar de man die wel zal denken, zegt: Je hoeft me niets uit te leggen, vrouw Mandemaker.
Ze stuift op. Heeft Mans gekletst?
Mans, zal hij Mans verraden? Hij schudt zijn hoofd en zegt: Al zeg ik niet veel, ik loop niet met een blinddoek voor. Hoeveel bakkers hier in de regio hebben het loodje gelegd? Drie, vier, zeg het maar.
Een grauw. Het komt door de broodfabriek. Steef Staal drijft ons de afgrond in.
Hij schudt zijn hoofd. Nonsens, het is de vrije marktwerking.
De vrije markwerking, wie nam die woorden ook in zijn mond? O ja, Aai Mulder, maar die is op de hand van Steef Staal. Steef Staal, de lui van de broodfabriek lopen met hem weg, maar zij kan zijn bloed wel drinken, al houdt ze zich groot tegenover Goof. Wat kletst Liefdegeest nu weer?
Steef Staal, niet dat ik hem de hemel in prijs, maar als je zo over hem blijft denken, vrouw Mandemaker, dan zit je fout. Ik heb al gezegd: vrije marktwerking. Nou, zo een is Steef Staal, en naar wat ik weet is er een uitkoopregeling voor de bakkers die het op de vrije markt niet meer kunnen redden, waardoor ze noodgedwongen hun winkel moeten sluiten.
Je bedoelt Molenaar?
Molenaar, die tegen Goof zei: Speel niet langer schuilhokkie met jezelf, verkoop het hele zootje en pak je kans.
Molenaar? Hij schudt zijn hoofd. Niet dat ik weet.
Ach kom, Molenaar woonde aan de Dreef. Woonde, jawel, maar vorige maand is Molenaar met vrouw, kat en papegaai verhuisd naar Ede, waar zijn dochter woont. Molenaar is binnen, neemt het ervan en zegt: Laat de boeren maar dorsen.
De Dreef, ik komt die richting nooit uit.
Liefdegeest woont met zijn trouwe viervoeter aan het Zandpad, kookt zijn eigen potje, drinkt zijn koffie, alleen met zichzelf en alleen met zijn gedachten, en waaraan denkt een man die als kluizenaar door het leven gaat? Juist: aan vroeger, aan Jetta en het geluk. Maar geluk is broos, het breekt voor je er erg in hebt. En heb je er erg in, dan is het te laat. En naarmate de tijd verstrijkt worden het herinneringen die

door je hoofd blijven spoken en als je niet oppast, ga je leven in een schimmenwereld.

En vrouw Mandemaker kletst aan een stuk door, haar figuur in witte jas tekent zich scherp af tegen de rekken met versgebakken brood. Hij vat haar beeld in zijn blik. Antje Mandemaker-Mereboer, hij kende haar ouders al toen zij nog in de kool zat, net als nog een paar oude knarren van zijn leeftijd, maar zij herkennen hem niet. Hoe zouden ze ook, en hij maakt ze niet wijzer.

Als een broekie van vijf jaar emigreerde hij met zijn ouders naar Brazili . Zijn vader, een jonge vent in de bloei van zijn leven, probeerde in het nieuwe land en bestaan op te bouwen. Want is er een groter bezit op aarde dan een vrouw, een kind en een dak boven je hoofd, en alle dagen een warme maaltijd op tafel? Maar als een mens alles van tevoren zou weten, want hoe anders is alles gelopen Net toen ze als emigrantengezin waren geslaagd, stierf zijn moeder aan een infectieziekte, zij ligt begraven in Brazili .

Geen tranen, mijn zoon, sprak zijn vader op de begrafenis. Hier zien ze je als een man, dus toon je een kerel. Je moeder is dood, haar beenderen zijn geteld, en niemand is in staat een dooie levend te maken, of het zou Onze Lieve Heer moeten zijn.

Hij dacht diep over die woorden na, begreep dat zijn moeder er nooit meer zou zijn. Samen met vader moest hij verder. Vader, midden in de veertig en al weduwnaar, een leven dat hem zwaar viel. Na een aantal maanden van alleen-zijn kwamen de huishoudsters opdraven, stuk voor stuk knappe Braziliaanse meiden, en nooit langer dan drie maanden. Als de een ging, stond de ander alweer op de stoep. En opeens was daar Mercedes-Constance Parera-de Lavaletta, een mooie naam voor een mooie vrouw met lang zwart haar, diepdonkere ogen een verblindende lach, nog geen twintig jaar en al weduwe. Zij wilde mevrouw genoemd worden en dat werd ze binnen drie maanden: mevrouw Liefdegeest. Ze betoverde zijn vader zowel lichamelijk als geestelijk, en zette hem, Peer, zonder pardon de deur uit met het devies: Je bent oud genoeg, je moet maar voor jezelf zorgen. Zijn vader ging daar volledig in mee.

Jarenlang heeft Peer door Brazili gezworven, hij werkte hier en daar, pakte alles aan wat hij kon krijgen en kwam op een dag in contact met een dierenhandelaar die illegaal jacht maakte op beschermde diersoorten. Hij kon het goed met de man vinden en trok met hem het binnenland in. Hij maakte kennis met mensen van afgelegen stammen, die werden omgekocht met flessen illegaal gestookte jenever en partijen tweedehands scherp geslepen machetes en blinkende hakbijlen. Als tegenprestatie zetten zij vallen en strikken en groeven zij valkuilen. Jarenlang werd daaraan grof geld verdiend, tot ze op een dag door een wildpatrouille werden overvallen en in de boeien werden geslagen. Verraderswerk, een van de navoja s?

Het oerwoud zweeg, de rechter zei des te meer. De illegale jachtbuit werd in beslag genomen, het geld ingevorderd en het vonnis luidde twee jaar eenzame opsluiting, waarna hij onder begeleiding het land zou worden uitgezet, met de raad hier niet meer terug te komen. Hij zou levenslang krijgen als ze hem voor de tweede keer zouden grijpen. Maar twee jaar eenzame gevangenisstraf — een strozak om op te slapen en een tonnetje om zijn behoefte in te doen — had hem klein gekregen. Voor hem geen avonturen meer.

Toen begon het zwerven door Peru, werken hier en daar, af en toe een avontuur met een opwindende meid. Wild en ongebonden werd zijn leven. Het geld dat hij verdiende, gaf hij net zo gemakkelijk weer uit. In zijn vrije tijd ging hij om met gokkers en drinkebroers, deed in alles met hen mee, tot de sigarettensmokkel aan toe, en viel weer in het leven van voorheen. Een leven van verderf en bravoure, maar alleen hij wist: al die bravoure was om de pijn te verdoven die hem door zijn vader en pleegmoeder was aangedaan.

Op zekere dag, hij weet waarachtig niet meer hoe, kwam hij op een vuilnisbelt terecht. Aan de rand stonden schamele hutjes, opgetrokken van stukken karton met zeildoek, en hij zag kinderen zo ver zijn oog reikte. Allemaal kinderen in hemeltergende armoede, op blote voeten, met rafelige vodden om hun magere schouders, gravend met hun handen in vuil dat afkomstig was uit de verderop gelegen grote stad. Opeens stond hij oog in oog met een geestelijke, een kleine, magere man, met voorovergebogen schouders in een lange, bruine pij, die om zijn middel bijeengehouden werd door een koord. Hij had gevlochten sandalen aan zijn voeten, een kransje grijzende haren om de kalende schedel, en naast hem een jonge vrouw.

De man stelde zich voor als broeder Dominicus, en met een blik op al die wroetende kinderen zei hij: Tja, jongeman, het is hier de armoede ten top, en hoeveel maal heb ik me niet afgevraagd hoe het kan dat Onze Lieve Heer zoiets gedoogt. Hij, die zei: Laat de kinderkes tot mij komen.

Dat gebeurt dan ook, ging de jonge vrouw op de woorden van broeder Dominicus in. Vanochtend vonden ze kleine Jean dood in zijn hutje.

Ach, here, een zieltje meer in de hemel, mompelde de broeder. En het is er al zo vol. Hij sloeg een kruis, en wijzend op de jonge vrouw zei hij: Dat is Jetta, mijn rechterhand, mag ik wel zeggen. Zonder haar redde ik het niet in deze poel van armoede en ellende.

Jetta Er roest een pijn door zijn gedachten, en tegelijkertijd klinkt de stem van vrouw Mandemaker: Sta je te dromen, Liefdegeest?

Dromen, hij voelt de nevel in zijn hoofd opklaren. Het verleden ebt weg, maar het beeld van Jetta blijft, een wit kapje op haar hoofd, helder in de kleren. Met trage blik overzag ze de vuilnisbelt, met overal wroetende kinderen. Ze schudde meewarig haar hoofd en zei wat bleekjes: Arme stakkers, met in het vooruitzicht alleen armoede.

Later begreep hij Jetta, zij probeerde naar de christelijke beginselen te leven en zocht daarin de waarheid, waarover ze later in verbittering tegen hem zei: De waarheid wordt met voeten getreden, desnoods gaat men over lijken.

Jetta, de enige vrouw van betekenis in zijn leven. Jetta, broeder Dominicus, schimmen uit een ver verleden, waaruit af en toe een stille knipoog.

Nog wat van je dienst, Liefdegeest?

Dat is Ant, het plotselinge zwijgen van de man gaat haar op de zenuwen werken. Toch een merkwaardige kerel, waar je als normaal mens niet uit wijs kan worden, en vorige week kwam Kobus Korthals weer met een wonderlijk verhaal opdraven. Hij had Liefdegeest in het andere dorp uit de kerk zien komen. De kerk met het kruissie, in deze protestantse regio. Die andere kerk, die door een handjevol mensen wordt bezocht, hooguit tien en met Pasen vijftien en als het met Kerstmis meezit, een handjevol meer. Kobus de glazenwasser, altijd met zijn oren en ogen op scherp, en met als naaste concurrenten de melkboer en de postbode. Zij, Ant, gaat nooit op die praat in, al zit er soms een vleugje van waarheid in. Ze moet om haar klandizie denken. Ach, lieve God, klandizie, nog even en het is met bakkerij Mandemaker gedaan. En Mans, waar moet die dan heen? Ook naar zee, net als Lieuwe?

Liefdegeest schudt van nee, hij heeft niets meer nodig. Hij strijkt door zijn baardje, kijkt naar Ant en raadt haar aan: Niet dat ik je dwingen wil, vrouw Mandemaker, maar ga s met Steef Staal praten. Heus, hij is geen onmens.

Ze wil zeggen: Ken je hem zo goed? , maar zegt tot haar eigen verwondering: Het is te proberen.

En Liefdegeest zegt: Da s een wijs besluit, je weet nooit wat eruit voortvloeit. Dag, vrouw Mandemaker, tot volgende week maar weer.

En weg is Liefdegeest, met de hond in zijn kielzog.

Bam

De torenklok. Halftien. Ze tuurt door het raam, verderop loopt Liefdegeest in zijn rustige, soepele gang. Liefdegeest, een levend raadsel, die een ander nooit asem geeft, maar haar aanraadt met Steef Staal te gaan praten. Jawel, toe maar, praten met Steef Staal, haar kaarten blootleggen, hem als het ware smeken hun zaak te sparen. Narrig pakt ze het geld van het blaadje. H , dat ziet ze nu pas. Er zit een barst in het glas, een barst die doorloopt tot in haar hart.

Steef Staal, de eigenaar van de broodfabriek, die hen de das omdoet, en Liefdegeest raadt haar aan met hem te gaan praten, daar moet ze eerst toch eens goed over nadenken. Ze buigt zich wat over de toonbank heen, gluurt weer eens naar de torenklok. Tien voor tien. Twintig minuten verder en in die tijd nog geen klant gezien, en dat tegen het weekend, en dat vergeleken met een jaar geleden. Toen kwamen ze om deze tijd handen tekort. Nu gaat aan het eind van de dag het brood weer naar Bertus Lamoen, die voor zijn fatsoen er een grijpstuiver voor geeft en mekkert H , h , ik zeg maar zo: ieder het zijne, de rijken bovenal.

De deur gaat open. Toos Schellinger stapt binnen voor haar hallefie wit en hallefie bruin . Voorzichtig brengt Ant de reclame ter sprake. Verwondering. Wat? Een pond bokkenpootjes voor n vijftig? Nee, dan de broodfabriek: vier tompoucen voor n gulden.

Dan moet je daarnaartoe gaan, valt ze scherp uit.

Een verbaasde blik. Nou, nou, vrouw Mandemaker. Maar ik begrijp het wel. Als je klandizie achteruitgaat... Toos is weduwe en moeder van drie kinderen.

O, dus je begrijpt het, maar alle waar naar zijn geld? En wijzend op de zak met bokkenpootjes: Het gaat erom wat erin gaat.

Juist, antwoordt de weduwe, schuivend met duim en wijsvinger, en bij mij om wat er nog in de knip zit, en een mens moet toch de tering naar de nering zetten.

Ach, ze begrijpt het ook wel. Toos, net wat ze zegt: de tering naar de nering. Vroeger een vaste klant, nu alleen op zaterdag, en de rest van de week naar de broodfabriek.

Hier, zegt ze in een opwelling. Neem maar mee voor je kinderen. En ze schuift haar de weekreclame toe.

Tring!

De winkelbel. Kobus Korthals zeilt naar binnen, en met hem een vlaag wind. Hij voorspelt: De wind trekt an, dat wordt regen. En pal daarop: Zag ik Toos Schellinger de winkel uit komen?

Zo te horen ben jij nog niet an een bril toe, Kobus. Kobus, ze loopt niet hoog met hem. Kobus heeft op iedereen wat, behalve op zijn boterham. Maar Kobus is geen overloper . Hij blijft een trouwe klant en dat vergoedt veel. Wat zal het zijn, Kobus?

Als altijd, een half krop en een pakkie roggebrood.

Voor ze het beseft, valt het uit haar mond. Dat heeft Liefdegeest ook altijd. En tegelijk in haar de verwondering, zij, die nooit over klanten praat. Maar het lijkt wel of ze haar gedachten aan die man niet kwijt kan raken.

Een minachtend gesnuif. Die vent heeft me haar niet.

Nee, wie heeft dat wel bij Kobus? Hij houdt er een eigen mening op na, die voor een ander moeilijk te volgen is. Maar het moet gezegd: Liefdegeest is een eigenaardige man, van wie ook zij geen hoogte kan krijgen. Wat moet je van hem denken? Plotseling verschijnt zijn beeld op haar netvlies. Is dat het beeld van een gelukkige man? Waar hangt hij nu uit? Wat gaat hij doen?

Ze werpt een blik uit het raam. Kobus krijgt gelijk, de lucht haalt aan naar regen. En Kobus klep staat niet stil, binnen een kwartier weet ze al het lief en leed in het dorp en dat hij het verdomt nog langer belasting te betalen voor de zittende klasse die arme lui uitvreten, want van ons mot ut komme, as je dat maar snapt. Kijk naar Steef Staal, een eigen fabriek, een dure auto onder z n kont, en de kleine dorpsbakker op de keien. Het kapitalisme ten voeten uit.

Ja, dat hoeft Kobus haar niet te vertellen. Nog even, dan staat bakker Mandemaker ook op de keien, en wat dan?

En Liefdegeest zegt: Steef Staal, hij is de kwaadste niet. En Kobus ratelt maar door. En zij raakt de weekreclame aan de straatstenen niet kwijt. Kobus is altijd een trouwe klant geweest en gebleven. Daar begint hij weer over de belasting.

Wrevelig valt ze hem in de rede: Zing s een ander liedje. Betalen, hierin ben je niet de enige, betalen doen we allemaal. Moet je nog bokkenpootjes? Ze zijn in de reclame.

 H , wat? Bokkenpootjes? Ja, doe maar, komen we over de hond, dan komen we ook over zijn staart.

Kobus, hij is de enige die niet aan tompoucen denkt...

HOOFDSTUK 3

Daar zit-ie dan, denkt Goof Mandemaker. Steef Staal, met zijn benen onder mijn tafel, in mijn huis. En hoe komt dat? Juist, door Ant. Nadat ze voor de zoveelste maal met de weekreclame waren blijven zitten, sloot Ant voor sluitingstijd de winkel en stiefelde de bakkerij binnen, en op zijn vragende blik — zoiets had ze nooit eerder gedaan — viel ze meteen met de deur in huis.

Goof Mandemaker, ik ben het meer dan zat. De kogel gaat door de kerk.

Hij, bezig met het beslaan van korstdeeg, keek verbaasd op. Wanneer ze hem met Goof Mandemaker aansprak, lette hij extra goed op haar woorden, want dan was er spanning in haar wezen en onverzettelijkheid om koste wat kost haar zin door te drijven. En hij vroeg: Hoe bedoel je?

Dat we allebei gek zijn hiermee door te gaan. We werken ons een slag in de rondte en er is geen redden meer an. Doe als Molenaar, ga in de sanering, ze betalen goed uit, en wij krijgen rust.

Ant, die zo sprak, die altijd naast hem had gestaan, en nu? Hij wilde er niets over horen, sputterde tegen. En Mans dan?

Honend ging ze ertegen in. Mans, die in een verlopen zaak stapt? Hij is niet gek.

Het is een familiezaak! wierp hij tegen. Het gaat van vader op zoon. Maar met wrange pijn dacht hij: ze heeft gelijk, het is een verloren zaak, de broodfabriek grijpt de macht en wij staan op de keien. Plotseling had Ant haar mond vol over Liefdegeest, alsof die uitkomst moest brengen.

Wat nou? bromde hij. Wie kent Liefdegeest? Niemand, het enige wat wij weten, komt van Mans. Een letservreter, en misschien is-ie wel half gek van het lezen? Wie zal het zeggen?

Prompt ging Ant in de verdediging. Dat zie je verkeerd. Liefdegeest heeft meer in zijn mars dan wij met z n allen. Hij raadde me aan om s te gaan praten met Steef Staal. En da s precies wat we nu gaan doen: praten met Steef Staal.

Met een grauw viel hij uit. Praten met die kerel die ons heeft kapotgemaakt? Nooit van m n leven!

Dan doe ik het, antwoordde ze, en ze liep met opgeheven hoofd de bakkerij uit, hem ontsteld achterlatend.

Was dat de volgzame Ant, had het hele gebeuren haar zo verkild? De daaropvolgende avonden bestonden uit mot, harrewarren, ruzie, en wat hij ook zei, ze had er geen zin meer in, zette er een streep onder, ze moesten berusten in het onvermijdelijke. Ze won het pleit, en nu zit hij in zijn eigen kamer tegenover Steef Staal. Een heer van top tot teen, maar houd heren op je wagen. Ze nemen het brood uit de moet, en pikken je klandizie in.

Ze zitten tegenover elkaar, tasten elkaars gedachten af en het gesprek vlot niet erg. Steef ziet een vroeg-oude man, die buiten eigen schuld om de dupe is geworden van de vrije marktwerking. En Goof ziet een vlotte jonge kerel met een eerlijke oogopslag, die toegeeflijk naar hem glimlacht en zegt: U doet er wijs aan met me te praten.

Door Ant, denkt Goof, ze heeft zich laten opjutten door die Liefdegeest. En hij bekent: Het komt niet van mij, maar van m n vrouw. Ze heeft zich laten ompraten door Liefdegeest.

Ach zo, klinkt het verrast. Liefdegeest is een verstandige man.

Hij, verrast: Kent u hem? De zonderling, die boe noch bah zegt, en nu zegt Staal...

Nou, kennen? Je hebt kennen en kennen; laten we zeggen: zo terloops. Maar dat terzijde, ik ben hier gekomen om persoonlijk met u een praatje te maken.

U bedoelt?

Kijk hem daar zitten, die geldzak met zijn broodfabriek. De kleine middenstander de nek omdraaien, dat kan hij.

Steef Staal zet zijn vingertoppen tegen elkaar en kijkt glimlachend naar Goof Mandemaker, zo te zien is de man een harde werker, maar geen zakenman die met de tijd meegaat. Met een peinzende blik observeert hij bakker Mandemaker en hij is ervan overtuigd dat het een vakbekwaam man is, eentje van de oude stempel die het nog in zijn vingers heeft.

Liefdegeest, die nooit een woord zegt, had hem — Steef — staande gehouden en zei: De nood is daar hoog, en jij hebt de macht. Ga s met ze praten, Steef Staal.

Wat? zei hij ontstemd. Schuif je dat in mijn schoenen? Praten met iemand in wiens oog ik een boze boeman ben?

Juist, net wat je zegt, de boze boeman, ging Liefdegeest erop door. En alleen jij kan die onzin de kop indrukken.

Ach kom, wierp hij tegen. En dat geloof jij?

Wat ik geloof, doet er niet toe, antwoordde Liefdegeest. Het komt erop aan wat Mandemaker gelooft. Zijn zaak sluiten is voor hem een groot verlies, en naar buiten toe ook een diepe vernedering. Probeer dat s te begrijpen, Steef Staal.

Liefdegeest, die en beroep op hem deed, woorden die niet als een verwijt bedoeld waren, maar als een zweepslag door hem heen striemden. Liefdegeest kwebbelde maar door. De zonderling, die nooit een woord zei, maar hem — Steef — bij uitzondering ongenadig de les las.

Jij weet meer dan ik, ging hij er narrig op in. Al geef ik toe, de concurrentie is moordend, waardoor veel bakkers op het platteland afhaken. Maar Eef Dompert ziet er nog altijd brood in.

Een kouwe bakker, wierp Liefdegeest tegen. Een vaste afnemer van je broodfabriek.

Dat wel, gaf hij toe. En voor Mandemaker zou dat ook kunnen.

Er viel een zwijgen tussen hen, met ieder zijn eigen gedachten, en met meer dan gewone aandacht keek hij naar de man die het zo voor Mandemaker opnam. Liefdegeest, die alleen praat wanneer hij het wil en zich voor de rest blind en doof houdt. Maar zoals hij het nu voor die dorpsbakker opnam

En hij vroeg: Ken je die Mandemaker zo goed, dat je zo voor hem pleit?

Liefdegeest antwoordde: Ik ken Mans, zijn zoon, een goed kind dat op zijn ouders lijkt.

Hij sputterde tegen. Kom, kom, als ik je zo hoor, ieder heeft zijn fouten, ook Mandemaker junior.

Gelukkig maar, anders zouden we niet zijn wie we zijn, was Liefdegeests commentaar hierop.

Hij schamperde: Als ik jou zo hoor...

En hij dacht aan zijn vader, rijk geworden op de beurs door te speculeren en het opjagen en handelen in aandelen. Risico s zo groot, maar pa wuifde ze lachend weg en gaf toe: Het is fout, ik beken het, maar in die branche moet je risico s durven nemen, en loopt het een keertje fout, dan zul je het moeten nemen en van die fouten leren.

Zijn vader, sluw, slim, berekenend, en hij ging op diens praat in: Mooi gezegd, maar mensen die door een gewaagde transactie een bom duiten verliezen, da s toch afschuwelijk?

Pa, met een onverschillige schouderophaling: Da s het spel: winnen of verliezen, en laten we eerlijk zijn, jij bent er het heertje door geworden.

Juist ja, hij is het heertje, in zijn spiksplinternieuwe pak, met zijn dure sportwagen en zijn broodfabriek, waarin hij een klein bescheiden aandeeltje heeft gekregen, want pa is wel goed, maar niet gek. En het vaste personeel is net als hij trots op de nieuwe broodfabriek, die hun zekerheid geeft en goed loon. En het belangrijkste: hij kan het goed met hen vinden, een vrolijke scherts, een vriendelijk woord op z n tijd, een reprimande, dat houdt de wind eronder en het hoofd koel, en hij zei niet zonder trots: Ik heb een goede band met het personeel, ik mag wel zeggen: ze lopen hoog met me.

Liefdegeest wreef weer eens door zijn baardje, knikte en zei: Fijn dat te horen en wat ik van je weet, je verdient het, maar pas op, ondanks al je voorspoed, doorzie je eigen wezen, want geen mens, rijk of arm, is zonder fouten.

Hoor daar Liefdegeest, alsof hij in de schoenen van de dominee stond, en Steef zei: Rijk of arm, dus jij hebt ook je fouten.

Dat ontken ik niet, en sommige zijn afschuwelijk.

Er roestte verwarring door zijn gedachten. Liefdegeest, die dat over zichzelf zei, en hij vroeg verwonderd: O, ja? Vertel s?

Liefdegeest boog zich vertrouwelijk naar hem toe, legde zijn hand op zijn arm en zei: Als de tijd daar is, misschien of misschien juist niet. Maar doe me een plezier, ga s praten met Mandemaker, de man verdient het.

Juist, praten, da s makkelijker gezegd dan gedaan, wat nietszeggende woorden over en weer, dan stilte, waarin de pendule luid tikkend de minuten de eeuwigheid in slingert, de regen tegen het raam tikt. Mandemaker die met een triest gezicht voor zich uit staart, en hij — Steef— worstelt met de gedachte: hoe moet ik die man benaderen, met een welgemeend aanbod, of ja wat? Dit gesprek valt hem moeilijker dan met een handelsrelatie, dat gaat op wederzijds respect en vertrouwen. Dit hier is even anders, hier zit hij tegenover een door de vrije marktwerking murw geslagen man, die hem de strop om de hals gooit en steeds nauwer aanhaalt. Nee, dit doe je niet af met prietpraat. Maar hoe ziet Mandemaker hem? Vast als een berekenende man die zijn slag wil slaan, want ondanks Mandemakers nervositeit voelt hij ook diens ergernis en wantrouwen. Enfin, Steef komt met een redelijk voorstel, en dan maar zien hoe het afloopt.

Hij zegt: Luister s, Mandemaker, ik kom hier met een redelijk voorstel, en lijkt het je wat, dan breien we de zaak rond. Zo niet, dan ben ik vertrokken en zie je me niet meer.

En Goof Mandemaker denkt: Steef Staal, die zo te horen het goed met hem meent en het goed met hem voorheeft, maar het roept ook beelden in hem op waardoor de pijn om wat verloren gaat, wordt verergerd en hij stroeft: Laat maar s horen.

Steef laat het horen en steekt van wal. Kijk, ik heb zo gedacht, Mandemaker...

Verdomme, waarom kijkt de man hem aan met een blik als van een geslagen hond, dat maakt het er voor Steef niet gemakkelijker op, en hij mompelt: Ik begrijp dit alles wel.

O ja? bromt Mandemaker. Maar weet jij wat het zeggen wil te moeten roeien tegen de stroom in, jij als directeur met geen zorgen an je hoofd?

In hem was ergernis: kom je met goede bedoelingen, krijg je dat naar je hoofd geslingerd. Hij bedwingt zijn ergernis en zegt: Ho, ho, Mandemaker, neem van mij aan: hoe meer macht, hoe groter de verantwoordelijkheid.

Mandemaker gaat er niet op in, maar zegt met strakgetrokken mond: Jij en ik, Steef Staal, daartussen ligt een groot verschil. Laat me raden. Je komt me uitkopen.

Ik? Hoe kom je daarop? Voor ik daaraan begin Er bestaat ook nog zoiets als een sanering, al geef ik toe dat je er geen miljonair van wordt, maar je bent uit de zorgen en hebt een redelijk bestaan.

Goof zucht. Een redelijk bestaan, sprak Molenaar ook niet zo? Molenaar, die hem voor gek verklaarde en zei: Kijk naar mij, de zaak weg, geld toe, na jaren ben ik het heertje. Molenaar, hoe zal hij het maken in Ede, sinds hij is vertrokken hebben ze niets meer van hem gehoord. Enfin, geen bericht, goed bericht.

En door Steef dwarrelen de gedachten: Mandemaker, hij ziet me als een profiteur en denkt alleen het slechtste van me. Daar heb je het al. Allemaal mooi gezegd, Steef Staal, maar ondanks alle goede bedoelingen ben je niks slechter of beter dan al die anderen die hun kans ruiken. Maar weet jij hoe het voelt als je ondanks jaren van hard werken je zaak op de fles ziet gaan? Nou, meneer de directeur, geef daar s antwoord op.

Pats, die opmerking kan hij in zijn zak steken. En Mandemaker heeft niet geheel ongelijk, al komt Steef hier met de beste bedoelingen, zijn hart is er niet bij. Iedereen heeft zijn eigen problemen, nietwaar, het is en blijft handel waar je bent en waar je komt. En mocht Mandemaker op zijn voorstel ingaan, dan zijn daar ook voorwaarden en zekerheidsstelling aan verbonden, want zowel Mandemaker als hij, je blijft zakenlui. De verslagen trek op Mandemakers gezicht ziend, zegt hij quasi-opgewekt: Kom op, Mandemaker, positief blijven denken, dan valt het altijd mee.

Goof, murw en moe van het afmattend gepieker waar hij niet uitkomt, zodat hij soms hele nachten wakker ligt, zegt: Ik heb het je al gezegd: jij en ik, daartussen ligt een groot verschil.

Steef voelt de steek onder water. Mandemaker, die in wezen elk medegevoel wil afweren, maar daar de moed niet voor heeft.

Mandemaker, die plotseling onbeheerd tegen hem uitvalt: Voor de dag ermee, Staal, jij zit hier niet om zoete broodjes te bakken.

Inderdaad, daar heeft de man gelijk in, hij zit hier voor zaken. Zijn instinct zegt dat Mandemaker bereid is tot praten, dat is beter voor Steef en nog beter voor Mandemaker, en hij zegt: Biecht s op, Mandemaker, hoe staat de zaak ervoor? Je denkt toch niet aan saneren, dat is wel het allerlaatste. Luister s, misschien dat we beiden tot een oplossing komen.

Een oplossing? Peinzend kijkt Goof hem aan, de stem van Staal klinkt plotseling zo vertrouwenwekkend, en als die jonge directeur inderdaad een oplossing weet, misschien is er dan nog een kleine kans dat hij de zaak In hem gloort een klein straaltje hoop.

En Steef Staal valt met de deur in huis. Wees s eerlijk, Mandemaker, heb je nog krediet?

Hij schrikt, de vraag komt onverwachts. Krediet? Hij heeft alleen schulden en een stapel onbetaalde rekeningen diep weggemoffeld in het onderste laatje van zijn bureau. Cijfers, cijfers en nog eens cijfers. Als een struisvogel steekt hij zijn kop in het zand, hij wil het niet zien, wil het niet weten, bindt zichzelf een blinddoek voor, maar het staat in zijn kop gegrift, en als Ant haar goud niet had verkocht, zaten ze nog dieper in het moeras. Sarcastisch zegt hij: Wat heet, een enorm krediet, als Ant haar goud niet had verkocht...

Zat je misschien al op de keien, valt Steef hem in de rede. En daarom zit ik hier, wil ik je een handreiking doen, niet alleen uit pure menslievendheid maar ook uit eigenbelang, laten we het s onder de loep nemen. Mandemaker, een gerenommeerd bakkersbedrijf van vader op zoon en bekend in heel de regio. Hoelang al? Honderd, honderdvijfentwintig jaar? Volgens mij zit er nog genoeg muziek in de zaak dat het gezond is om ermee door te gaan. En voor mij is het zo moeilijk niet om je daarmee op dreef te helpen.

En dat zegt Steef Staal, de man die hij — Goof — allerlei boosaardige verwensingen heeft toebedacht, tot een auto-ongeluk aan toe. En nu?

Steef Staal die hem vriendelijk toeknikt en zegt: Ik begrijp het, ik overval je ermee, maar als het je niet bezwaart, zullen we op het gesprek doorgaan?

Doorgaan, hij weet geen antwoord. Alles draait om de zaak, zijn levenswerk, en nu zegt Steef Staal Een moment in eigen gedachten verzonken, kijkt hij naar buiten, in de tuin verregende planten, en zegt: De herfst valt vroeg in dit jaar.

Waarop Steef Staal antwoordt: Zullen we ons bij het gesprek houden? Je hebt grote zorgen, Mandemaker.

Hij zucht. Groter dan jij vermoedt.

Steef knikt. Ik weet er wel wat van, daarom zit ik hier.

Weer een diepe zucht en plotseling stort Goof zijn hart uit. Ik weet niet meer hoe ik het moet redden, het is gedaan. Hij buigt zijn hoofd, kijkt op zijn handen neer, de laatste maanden gaat hij door een hel. Wat wauwelt Steef Staal nu weer?

Je moet zo denken, Mandemaker: alles gaat voorbij, ook dat. Ik ben bereid je schulden af te betalen en je het nodige krediet te verschaffen.

Hoor daar Steef Staal, die zich opwerpt als de reddende engel, dat maak je hem niet wijs. Die ziet zijn koren bloeien op het leed van een ander en dat is hij, Goof Mandemaker, en hij norst: Mooi gezegd, maar wat staat daartegenover? Want dat jij voor goedheiligman speelt, daar trap ik niet in.

Een cynisch lachje. Moet je volstrekt niet doen, Mandemaker. Jij en ik praten als zakenlui, nietwaar? Ik doe je een voorstel, wil je omzet kopen en ben bereid daar grif voor te betalen.

Een moment zit hij perplex, springt dan overeind en rood van opwinding stamelt hij: Jij wilt mijn zaak...

Steef wenkt met zijn hand. Wacht even voor je je illusies maakt, nogmaals, ik ben bereid je schulden te betalen en ik geef je krediet, maar daartegenover staat dat jij met mij in zee gaat en voortaan je brood en gebak van de fabriek betrekt.

Aha! roept hij uit. Nu komt de aap uit de mouw. Een kouwe bakker worden, na jaren van eigen baas.

Maar geen sanering, Mandemaker, en je behoudt je zaak, maar nogmaals, ik stel je een zakelijke transactie voor waarin je zelf moet beslissen, al ben ik ervan overtuigd dat we er beiden niet slechter van worden.

Als ik doe zoals jij het voorstelt.

Weet jij dan een ander voorstel, bakker Mandemaker?

Bakker, een steek door zijn hart. Jawel, een kouwe bakker en zetbaas voor Steef Staal. Steef Staal, die zo vol vertrouwen hier kwam binnenstappen, goed ingelicht, wie o wie? Hij schudt zijn hoofd en zegt: Ik zou het niet weten.

Ik ook niet, is het antwoord, en met een knipoog: En ik heb in jou het volste vertrouwen.

En hij denkt: als samenzweerders onder elkaar, en plotseling ontroerd, springen de tranen in zijn ogen, en Steef Staal zegt: Denk er nog maar s goed over na. Kom je tot een besluit, bel me op, dan bespreken we de zaak verder op mijn kantoor.

De klink van de achterdeur. Goof, wonderlijk opgelucht na het gesprek met Steef Staal, springt overeind en zegt: Da s mijn vrouw.

Steef veert op van zijn stoel. Dan wordt het tijd dat ik opstap.

Ant Mandemaker, hij heeft haar een paar maal in de winkel zien staan, zijn eerste indruk was: een stoere tante. Nu staat hij tegenover die stoere tante, en stelt Mandemaker hem aan zijn vrouw voor. Ant, dit is Steef Staal, de directeur...

van de broodfabriek, valt ze hem lachend in de rede. Het is me bekend, ja. Haar hand in de zijne. Prettig kennis met u te maken.

Steef Staal is groot en breed in de schouders, alles mee, niks tegen, van de week heeft ze nog een artikel in de krant over hem gelezen. *De geslaagde zakenman*, hij werd letterlijk de hemel in geprezen, maar op de vergadering van de NBOV klinkt andere taal. *Broodfabrieken, ze schieten als paddenstoelen de grond uit, maar je doet er niets tegen, dat is de vrije marktwerking en wie hier niet in mee kan gaan, gaat kopje-onder. Maar niet getreurd, er bestaat zoiets als een sanering, en als je het zo bekijkt, zijn de bakkers niet slecht af.*

Het ligt op het puntje van haar tong te vragen: Wat doet u hier? Maar hij maakt een hoofse buiging en zegt: Het genoegen is geheel aan mijn kant.

Scherp bekritiserend glijdt zijn blik over haar gestalte, een blank, fris gezicht, donkerblond haar en een stevig figuur, een plattelandse van melk en bloed en moeder van twee zonen, hoe oud zou ze zijn? Veertig, vijfenveertig? Vast wel.

Ze zet de boodschappenmand op tafel en zegt: Ik moest op boodschappen uit, vandaar dat je mijn man alleen thuis trof.

En de winkel dan? wil hij vragen, maar hij zegt: Ik heb met uw man gesproken.

Ach zo, lacht ze, en dan: Ant, en geen u, hier zeggen we je en jij en noemen elkaar bij de naam.

Hij lacht met haar mee en zegt: En ik ben Steef.

Steef, ik zal het onthouden.

Steef Staal Sientje Mos beweerde dat ze hem een paar maal met een vrouw heeft gezien. Sientje wijdde uit: Lang blond haar, kort rokje, hoge hakken, geverfde wenkbrauwen, geverfde lippies, je weet wel: zo n stadse hittepetit. Ze weet wel, ze weet niks, en quasi-vriendelijk vraagt ze: Kan je vrouw hier wennen?

Verwondering. Mijn vrouw? Wie zegt dat?

Ze wil zeggen Sientje , maar weet hij veel wie Sientje is, en ze zegt: Ik hoorde zoiets.

Vanzelf, de dorpstamtam.

Het was op een vrijdag, helpt ze hem herinneren.

Vrijdag? O, toen... Er gaat hem een licht op. Ceciel, het zoveelste liefje van pa. Pa, hoe ouder, hoe gekker, en voor geld is alles te koop, en hij zegt: Een kennis van mijn vader, en met een geamuseerd glimlachje: Zeg het degene maar van wie u het van hoorde.

Dat zal ze zeker, slaat zij eventjes een figuur En dat door Sientje, en ze noodt: Als je nog tijd hebt, zet ik snel een kopje koffie.

Er trekt een lachrimpel om zijn ogen. Koffie, speciaal voor mij gezet, is dat een eer.

Waar heb je het over, antwoordt ze effen, grijpt de boodschappenmand van de tafel en loopt naar de keuken.

Nou moe, zegt hij, een moment met zijn figuur verlegen. Heb ik iets verkeerds gezegd?

Ondanks de situatie schiet Goof in de lach en zegt: Kijk niet zo sip, de dorpers hier zijn niet zo kwaad als ze eruitzien.

En daar behoort jouw vrouw ook toe?

Wie niet? Wij dorpers trekken n lijn tegenover import.

Import? Dus Steef Staal wordt gezien als import. Doe je je best, kom je praten, krijg je dat naar je hoofd geslingerd. Hij tuurt naar buiten, het beeld van pa op zijn netvlies: pa nam een slok van zijn borrel, tikte de as van zijn sigaar en zei: Boerenheikneuters met boerenslimheid, hou ze op je wagen, anders zal het je zuur opbreken.

Mooi gezegd van pa, maar hijzelf dan? Met zijn slinkse beursstreken, sommigen kunnen hem wel schieten. Maar dat wuift pa weg als een bagatel, diens mening luidt: Da s het spel en het is net als overal. Wie het niet in zijn vingers heeft, gaat eraan onderdoor.

Een koffiegeur zweeft vanuit de keuken de kamer in, hij snuift als een jonge hond, dat is wat anders dan uit een automaat. Het is makkelijk, dat wel, maar daar is alles mee gezegd.

En Goof, nu met een heel andere kijk op Steef, bromt goedmoedig: Koffiezetten kan ze.

En hij speelt met de gedachte: er gaat niets boven een ouderwets bakkie. Bij hem thuis dronken ze altijd oploskoffie, als hij er nog aan denkt, wat een bocht, maar mama vond het makkelijk. Mama, ze tuitte haar lippen en zei: Geef je moeder een kus, stoute jongen.

46

Hij kuste haar met tegenzin. Mama is er niet meer, ze flonkert al jaren als een ster aan de hemel, en op aarde leeft pa niet bepaald als een monnik en hij laat de centjes rollen.

Goof stopt een pijp en zegt: Met een bakkie leut erbij praat het gemakkelijker.

Juist, praten, daar komt hij voor. Goof Mandemaker heeft hij zo goed als over de streep, nu nog zijn vrouw, want ook in zaken zijn man en vrouw een.

Goof trekt een rookwolk uit zijn pijp, en Ant komt de kamer in met een dienblaadje met daarop drie kommen dampende koffie, en hij ruikt de geur van tabak en koffie, de geur van huiselijke gezelligheid. Alsjeblieft, Steef, een bakkie...

Steef, een heel ander persoon dan Aai Mulder, en hij ziet een mollige hand met daaraan een trouwring, en in hem rijst de vraag of ze gelukkig is met Goof Mandemaker. Vast wel, ze hebben kinderen.

Een schaaltje met koek onder zijn neus. Hier, neem een bokkenpootje, de reclame van vorige week. Maar de broodfabriek sneed ons de pas af met tompoucen.

Pats, die slag is van haar, waar moet hij die incasseren? En hij zegt met iets van spijt: Als ik het van tevoren geweten had...

Een volle lach. Dan had je het niet gedaan? Weg is haar haat tegen Steef Staal, hij komt bij haar over als een eerlijke zakenman. Ze gaat aan tafel zitten, pakt een kom van het dienblaadje, roert in haar koffie en vraagt: Je woont nog altijd in de stad, h?

Je en jij, hij moet er nog aan wennen. Nog wel, ja.

Zou je hier willen wonen?

Wacht even, ze wil hem uithoren. Hoewel, dat pendelen alle dagen, van de stad naar het dorp en s avonds weer terug. Het hangt hem uitermate de keel uit, en nog verloren tijd bovendien.

Nou, Steef Staal?

Hij haalt zijn schouders op. Ach, eerst maar s een huis.

Nou, dat tref je, het huis van de notaris komt leeg.

Zo, zo, het notarishuis, met zijn erkers en hoge brede ramen, met daarboven een gevelsteen waarop staat *Anno 1860*. Een huis met allure, maar of hij daarop zit te wachten?

Nou, lijkt het je wat? Echt een huis voor een directeur.

47

Hij geeft geen antwoord, roert in zijn koffie, blijft met het lepeltje tussen zijn vinger en duim zitten, alsof hij in gedachten zit verzonken, en zegt dan: Ik zit hier om met je man over de zaak te praten, half en half zijn we het eens, maar voor hij tot een besluit komt, willen we beiden jouw mening horen.

O, dus dat is het. Beiden, zegt hij, dus tussen die twee is al wat gekonkelefoosd. Plotseling voelt ze zich opgejaagd en onrustig. Ze denkt aan Liefdegeest. Hij raadde haar aan: Steef Staal hij is geen onmens, ga s met hem praten. Ja, ja, Steef Staal is geen onmens, maar wel op strooptocht, en ze vraagt op de man af: Heeft Liefdegeest je hierheen gestuurd?

Staal, niet langer Steef, rustig kijkt hij haar aan en zijn stem klinkt een ietsje luider als hij zegt: Ja, en me dunkt, daar is reden toe.

Je bedoelt ? vraagt ze voorzichtig, hoewel ze donders goed weet hoe hij het bedoelt, maar nu het onafwendbare dichterbij komt in de persoon van Steef Staal...

Zijn stem klinkt: Dat hoef ik je toch niet uit te leggen, vrouw Mandemaker, je kent de situatie en doet er verstandig aan naast je man te staan.

Ja, ja, mijn man, maar ik vraag het jou, Steef Staal, wat je met deze edelmoedigheid voor ogen hebt. Het klinkt scherp en achterdochtig.

En hij denkt: Ant Mandemaker, een resolute tante. Het ligt op zijn tong om te zeggen: Ik zou me maar een beetje inbinden , maar hij begrijpt haar stemming wel en zegt: Nogmaals, vraag het je man, bespreek het met elkaar, en als jullie tot een besluit komen, hoor ik het wel. Bedankt voor de koffie, hij was heerlijk. En nu ga ik er als de bliksem vandoor, het werk wacht, ook voor een directeur. En tot Goof: Kom s een kijkje nemen in de fabriek, Mandemaker, en neem je zoon mee.

Die vraag overvalt hem. Goof een kijkje in de fabriek De fabriek, volgens hem het kwaad achter alles, en hij verschuilt zich achter: Ik zie wel, als ik tijd heb.

Nauwelijks is Steef Staal vertrokken of Ant trekt van leer, al haar opgekropte gevoelens van al die maanden breken baan, en Goof krijgt het allemaal over zich heen. Het is van dit en dat, en die kerel denkt maar. Juist dat is haar visie, hij legt zijn pijp neer, fronst zijn wenk-

brauwen en zegt: Mens, mens, wat rij je weer van je paleis, ga eerst
s zitten en luister.

Ze zit en luistert, en hij praat, verklaart, legt uit, en eindigt zijn verhaal met: Beter dit dan in de sanering.

Ja, en jij, als kouwe bakker achter de toonbank en je voor de volle
honderd procent inzetten. Steef Staal weet wat-ie doet.

Dat mag zo zijn, maar wij behouden de zaak, en denk s aan Mans.

O, ze denkt aan alles, aan haar man, haar twee jongens, aan
Liefdegeest, aan de zaak, maar bovenal aan de directeur van de
broodfabriek, die naast zijn voorstel ook nog bereid is hun een krediet
te verlenen. Jawel, maar rijke heren denken aan kapitaal vergaren, en
spelen met argeloze mensen als een kat met een muis. Ze zucht en
zegt: Het klinkt mij te mooi in mijn oren, ik vertrouw het niet. En
hij — Goof — ondanks Staals voorstel, dat op hem overkwam als een
sprookje, hoe denkt hij nu? En hij zegt: Een kouwe bakker; ook ik
voel het als een vernedering, maar we staan aan de rand van de
afgrond, dat weet jij en dat weet ik, dus leek me dat de beste oplossing.

En Steef Staal vaart er wel bij, klinkt haar stem, scherp als een
naald.

Gebelgd stuift hij op. Hou nou s op over Steef Staal, anders is het
met de zaak gebeurd. En ik... Verdomme, waarom heeft Ant er geen
goed woord voor over? Dag en nacht heeft hij zich een slag in de
rondte gewerkt, en zich suf geprakkiseerd, stond stijf van de stress, en
pas nu, na het gesprek met Steef Staal, is het alsof er bij hem vanbinnen iets bedaart. En Ant zit daar maar met een gezicht als een oor-
wurm. Ant, als het haar niet zint, berg je. En dat het haar niet zint

Goed dan, zegt hij. Als jij niet wilt... Hij buigt zijn hoofd en zucht.
Twintig jaar van hard werken, het geven van eigen kracht en opeens
een vrije val waar geen houden meer aan is. De sanering en voorbij.

Plotseling biggelt er een traan langs zijn wang. Wat is dat nou? Grote
kerels huilen niet, maar hij kan het niet tegenhouden. Tranen biggelen over zijn wangen, hij pakt zijn zakdoek, wrijft door zijn ogen.

Niet huilen, Goof, niet huilen... Ant staat naast hem, schreit met
hem mee, drukt zijn hoofd tegen haar schouder, streelt zijn grijze

49

haren, zijn wangen, heel dat grauwe, afgematte gezicht, drukt een kus op zijn wang en zegt: Misschien heb je gelijk, moet ik het zien zoals jij het ziet. Steef Staal, de redder in nood.

De deur gaat open, op de drempel staat Mans. Stokstijf blijft hij staan bij het zien van zijn ouders, die zich in elkaars armen troosten, en zijn mond valt open van verbazing.

Ant draait zich om en — al is het haar eigen zoon — voelt zich betrapt, bloost bij het zien van zijn verbaasde en onnozele houding, en dan valt ze heftig uit. Sta niet zo stom te staren, en doe je mond dicht, anders wordt je hartje koud.

HOOFDSTUK 4

Zes uur. Ant Mandemaker staat voor de spiegel, kamt haar haren, een speldje hier en een speldje daar, een kammetje erin en klaar. Ze trekt haar witte mouwschort aan, glipt in haar pantoffels, loopt naar de winkel en trekt het rolgordijn omhoog. De dag is weer begonnen en het is nog stil op het Kerkplein. Een zwart-witte kat scharrelt bij het notarishuis, dat nog steeds te koop staat De zon hipt als eerste klant naar binnen, werpt haar stralen in de zaak, schildert een brede baan over de plavuizen en zet de houten rekken waarop nog geen kruimel brood is te bekennen, in een stralend licht.

Ant kijkt ernaar en zucht. Hun zelfstandigheid is voorbij, ze zijn nu zetbaas voor Steef Staal, in eigen zaak weliswaar, ze maar verkopen al een paar maanden fabrieksbrood met daarop de slogan *Kwaliteit zit gebakken.* Ze moet eerlijk toegeven, het is brood van goede kwaliteit, en ook het gebak is prima, vooral nu Goof in de afdeling banketbakkerij staat en daar de scepter zwaait.

Goof, als los-vaste knecht in de broodfabriek, en Steef Staal zegt: Ik dwing je tot niets, maar als je een vast contract wilt; ik zit op het kantoor.

Elke week krijgt Goof net als elke werknemer gratis een doos gebak en een krentenslof mee naar huis. Hij legt het op de keukentafel neer en zegt met een grimmige grijns: Zover is het met je man gekomen, van zelfstandig bakker tot knecht op een broodfabriek.

Ze voelt zijn pijn om het gebeurde, maar ook de vernedering van sommige vingers die hem nawijzen, en het vreet aan haar, al houdt ze zich groot. En ze zegt: Je moet maar zo denken, wij hebben geen schade, de schande kunnen we dragen, en brood eten moeten ze iedere dag.

En de vroegere klantjes komen weer terug naar bakkerij Mandemaker voor hun hallefie wit en hallefie bruin . Het brood is net zo duur als op de broodfabriek, en nog een belangrijk punt: de winkel is dichterbij dan de fabriek, en kom je voor negen uur en vind je de winkel gesloten, dan kun je nog altijd achterom, al is het tegen de wet. Maar ach, als dorpers onder elkaar, en Teuteling, de agent hier in het dorp — en tevens een van hen — heeft dan net een vuiltje in zijn oog, of kijkt toevallig de andere kant op. Iedereen is het erover eens, met Teuteling hebben ze het best getroffen.

Voor de broodbus gelden andere regels en toont Teuteling zijn strenge boemansgezicht. Niet voor negen uur de weg op om te venten, wel voor het bevoorraden van de koude bakkers in de regio, waarvan er hier in het dorp slechts twee zijn, aan het Kerkplein bakker Mandemaker, en aan de haagzij de winkel van Eef Dompers. Twee koude bakkers in hetzelfde dorp zet kwaad bloed. Sinds kort vindt Goof Eef Dompers een verwaaide gelukzoeker. En Eef Donker vindt op zijn beurt Goof Mandemaker een stiekeme onderkruiper. En Steef Staal, van al die onmin op de hoogte, haalt zijn schouders op en zegt: Het zal wel wennen.

En Mans mening over Steef Staal: Hij wel, de hele regio heeft-ie in zijn zak en de klandizie komt toch wel.

Steef Staal, sinds een aantal weken komt hij bij hen over de vloer, en niks kapsones, bespreekt met Goof de omzet van de week, bekijkt met aandacht de in- en verkooplijst, en commandeert: In duplicaat invullen . Goof schuift de lijsten opzij, knikt deemoedig en doet er het zwijgen toe.

Dat irriteert Ant en ze vraagt zich af: waar is zijn trots gebleven? Mandemaker, de luxe bakker en een naam van betekenis, en nu zo Scherp valt ze tegen Steef Staal uit. Waarom Goof? Daar heb je toch je kantoorpersoneel voor?

Hij voelt haar terechtwijzing en vraagt zich af welke gedachten er door haar hoofd spoken. Denkt ze soms dat hij er een dubbele boekhouding op nahoudt? Godzijdank heeft hij niet de streken van zijn vader. Pa, die met zijn uitgekookte slimheid rijk is geworden op de beurs. Hij knikt en zegt vriendelijk: Inderdaad, ik heb mijn personeel, maar naar ik aanneem, heeft je man ook schrijven en rekenen geleerd. En dat smakelijke kopje koffie dat ik hier altijd krijg, is ook de reden waarom ik hier zit.

Ze begrijpt zijn wenk, gaat de keuken in, zet koffie zoals ze altijd doet — een recept van moeder op dochter: zwaar gefilterd met een scheut kokende melk erin. Steef Staal drinkt met gemakt drie bakken leut en prijst haar de hemel in. Of schuilt achter die vriendelijkheid eigenbelang? Steef Staal, je kijkt erop, niet erin. En vorige week vertelde

52

Stientje Mos dat ze hem weer met die blonde troela had zien lopen, en als vrouw vraag je je af, wat ziet die man in de opgekalkte kee?

Sientje Mos, de vroomheid druipt eraf, maar ze houdt er een eigen oordeel op na en iedereen gaat over de hekel. De laatste tijd is dat Steef Staal. Zoals een kat zijn prooi beloert, zo houdt zij Steef Staal in de gaten.

Ze schoof het hallefie wit over de toonbank en zei effen: Da s vijftig cent, Sientje, en houd je mond s over Steef Staal.

Poeh, zei Sientje, in haar wiek geschoten. Zien jij en je man hem opeens als jullie weldoener?

Ach, wat ben jij toch... Ze voltooide haar zin niet, maar wetend dat Sientje tuk was op de weekreclame, zei ze: Deze week bij aankoop van een honingontbijtkoek er eentje gratis toe.

Mijn hemel, riep Sientje, de handen in elkaar slaand. Daarvan krijgt een mens de poeperij! Ze graaide haar hallefie wit van de toonbank en stiefelde de winkel uit.

Het geluid van een auto, die achterom het erf komt oprijden, en ze weet: dat is Mans. Mans, met een vast contract op zak als chauffeurbroodbezorger in dienst van Steef Staal, en weg zijn alle twijfels die hij eens tegen hem had. Hij praat nu heel anders, ook over Lieuwe. Het is nu van: Die twee hebben gelijk, pa is te lang blind gebleven voor de veranderingen in de bakkerijsector, en da s een grote fout.

De sneer op Goof kon ze niet hebben, Goof, die alles had gedaan om de zaak voor Mans te behouden, zich had onderworpen aan Steef Staal. En Mans, die nu zo sprak. Kinderen, ze doen je pijn en verdriet zonder het te beseffen, snibbig was ze uitgevallen: Weet wel dat je vader het voor jou deed.

Mans antwoordde: Kom nou, moeder, je weet wel beter, omdat Lieuwe niks voor de bakkerij voelde, schoof pa mij de zaak toe, maar of ik daar nu zo blij mee was?

Ze geeft toe, hij heeft gelijk, maar toch, Goof en zij hebben zich het rambam gewerkt om koste wat kost de boel draaiende te houden. Tevergeefs, een besef dat niet loslaat. Kom, ze zal Mans een handje helpen met die kratten.

Vlug loopt ze vanuit de winkel door de bakkerij, in de stalen ovendeur weerkaatst haar spiegelbeeld. En dat van Zegers, de milieuambtenaar, en ze voelt de narigheid van deze herinnering.

Zegers, een bleek, gladgeschoren gezicht boven een wit overhemd met rode stropdas, hij grabbelde in zijn aktetas, toverde een rapport tevoorschijn, schraapte zijn keel en zei op een toontje van gezag: Je begrijpt toch, Mandemaker, dit kan en mag zo niet langer. Hoelang draai je al met die oven? Tien, vijftien jaar? Neem van mij aan, dan is het gebeurd. Dan wordt-ie afgeschreven, verval je aan een nieuwe, met een automatisch rijs- en bakprogramma, voor jou een hele vooruitgang, dus je weet wat je te doen staat. En bij het zien van Goofs zorgelijke gezicht: Ja, ja, Mandemaker, een middenstander moet vandaag de dag met zijn tijd meegaan, anders raak je achterop en val je af.

Makkelijk praten, bromde Goof, als je met een vast salaris in de nieuwe wijk woont. Maar als middenstander moet je het eerst in je knip hebben, wil je het uitgeven.

Kom, kom, Mandemaker, als ik jou zo hoor. Zegers stopte het rapport in zijn bruinlederen aktetas, en zwaaide zijn visie uit. Ik weet ook wel, het is een hele uitgave, maar bekijk t eens zo: een kleine hypotheek op je zaak, en dat met jouw omzet, dat moet toch kunnen? En laten we aannemen, in een tijdslimiet van tien vijftien jaar afgelost, met het voordeel dat je zaak in waarde stijgt.

Je hoeft mij niet te vertellen wat ik doen of laten moet, bromde Goof. Hier, pak an, een krentenslof, en kom over een halfjaartje maar weer s om.

Moet ik dat zien als omkoperij? grinnikte Zegers, maar hij stopte vlug-vlug de krentenslof in zijn aktetas.

Het kan me niet schelen hoe je het ziet, nijdaste Goof. Als je maar opdondert.

Zegers ging, met de zoete belofte dat hij over een halfjaartje weer s kwam kijken.

Ik zal de rode loper voor je uitleggen, gromde Goof, en s avonds tot Ant: Sinds meneer in die nieuwe wijk woont, is hij een en al kouwe kak, en zij wil mevrouw genoemd worden.

Ach, antwoordde ze, meneren en mevrouwen, zo voelen ze zich als ze groot worden. En ze dacht: import, net als Steef Staal, en dat oude notarishuis is net wat voor hem, maar Steef Staal loopt eraan voorbij

54

en in de tuin staat nog steeds het bordje *te koop*.

Ze tikt een paar maal met haar knokkels tegen de oven, de oude welteverstaan. Een nieuwe is er niet van gekomen. Wie wel kwam, was Steef Staal, met in zijn kielzog de grote verandering voor bakkerij Mandemaker.

 Kun je even helpen, moe? Het is Mans, die haar dat vraagt. Mans, hij krijgt de haal van puber tot jonge kerel, vervalt alweer in een nieuwe broek, van het exemplaar dat hij nu aanheeft, komen de pijpen tot boven zijn enkels. Ze zullen wel denken op de fabriek, en als moeder heb je ook je trots.

 Hoeveel kratten, Mans?

Mans werpt een blik op het formulier en somt op: Acht kratten wit, zeven bruin, twee kratten krentenbrood, en zes volkoren.

 Hoe kan dat nu? werpt ze tegen. En dat op vrijdag? Dan is het vier broden halen en drie betalen, dan loopt de winkel vol, en is het nog s zo druk.

Mans haalt zijn schouders op. Weet ik t? Je hebt zelf die lijsten ingevuld.

Zij heeft ? Ja, dat is waar, haar fout. Ze was er met haar gedachten niet bij. Dat gebeurt haar de laatste tijd wel vaker, dan is ze met haar gedachten bij Steef Staal. Zoals vorige week, samen stonden ze in de winkel, hij voor, zij achter de toonbank, hij controleerde de lijsten, zij telde de broden.

 Klopt het?

Jawel. Ze keert zich naar hem toe. Maar gisteren klopte het niet.

 Kan gebeuren, waar gewerkt wordt, worden fouten gemaakt. En nu?

 Dat zei ik toch, het klopt. En ze schampert: Degene die de kratten vult, moet je op de vingers tikken. Je bent toch zo n pietje-precies?

Hij zwijgt, kijkt naar de vrouw in haar smetteloos witte mouwschort achter de toonbank en zegt: Dat zal moeilijk gaan, Goof vulde gisteren die kratten.

Stilte tussen hen, ze staart langs hem heen naar buiten, Goof, die en ze vraagt: Waarom zeg je dat?

 Omdat het de waarheid is.

De waarheid, jawel, maar hoe ziet zij die waarheid? Vinnig valt ze uit:

 Goof? Hij werkt toch op de banketafdeling?

Dat zegt niks, om beurten vullen ze de kratten. Hierin maak ik geen enkele uitzondering noch onderscheid.

Hoe koel en zakelijk wordt dat gezegd. Steef Staal, er trekt een glimlach over zijn gelaat en in haar welt het gevoel op alsof hij een vreemde voor haar is. Steef Staal, die hun zaak voor faillissement heeft behouden maar daarbij hoge eisen stelde. Goof, zetbaas in eigen zaak, maar nu werkt hij toch maar mooi op de broodfabriek, en Mans toch wel En zij staat elke dag van negen tot zes achter de toonbank. O, ze geeft het eerlijk toe, de financi le lasten zijn niet zo zwaar meer en de grootste zorgen zijn voorbij. Maar het krediet aan Steef Staal blijft bestaan en in alles zijn ze nu aan hem verplicht. Steef Staal, hun weldoener, of...? Ja, wat of?

Met beide handen rustend op de toonbank kijkt ze naar het logo op het raam. *Brood- en banketbakkerij Mandemaker*. En de vraag komt in haar op: hoe zal dit in de toekomst aflopen? Mans toch in de zaak, met de last op de schouders van Steef Staal? Zou Mans zo gek zijn, en Steef Staal zo goed? Ze ziet het niet zitten, bij geen van de twee.

Pieker je nog steeds over die broden, Ant Mandemaker?

Steef Staal rukt haar uit haar gedachten, zijn hand op de hare, een slanke, sterke hand met aan zijn ringvinger een glinsterende, gouden monogramring. Beter van niet, hoe zou hij reageren, en ze zegt het eerste het beste dat in haar opkomt: Het notarishuis staat nog steeds te koop.

Een lichte frons van zijn wenkbrauwen. Is dat wat je denkt, en als ik je zeg dat ik je niet geloof?

Langzaam trekt ze haar hand weg. Dan geloof je het niet.

Nee, zegt hij, en zijn ogen kijken recht in de hare. Ik ken je, Ant Mandemaker, in vertrouwen ben je anders dan je man. Wat mijn persoon aangaat, koester je nog steeds je twijfels.

Ze schrikt, hij slaat de spijker op zijn kop. Ze voelt dat ze bloost, is ze zo transparant dat hij haar gedachten leest? Ze zegt: Misschien, misschien niet, maar wat kennen we elkaar? Zegt zelf.

Genoeg om te weten dat ik met eerlijke mensen te doen heb, en als jij al die twijfels tegenover mij nou s de kop indrukt, zijn we een eind op de goede weg.

Haar twijfels, zijn woorden klinken nog steeds in haar oren na, ze wrijft met haar hand langs haar voorhoofd, niet meer denken, haar hoofd bij haar werk houden.

Mans komt binnen met de laatste krat. De weekreclame, moe.

En dat is? H , haar hoofd voelt zwaar aan van het prakkiseren.

Verbazing. Nou zeg, wie heeft die lijst nu ingevuld?

Alsof ze op heterdaad wordt betrapt, schudt ze haar hoofd en zegt: Je moeder wordt een dagje ouder, joh.

Een paar lachende ogen van dichtbij. Loop heen, jij en oud? Weet je wat Steef Staal zegt?

Ze schrikt. Steef Staal, opeens voelt ze weer zijn hand op de hare, ziet ze weer die glimlach om zijn mond en ze zegt: Nee, en als jij het weet, laat s horen.

Die moeder van jou, die blijft achttien. Een compliment, h , moe?

Ja, ja, een compliment, maar er kropt iets in haar keel, en met licht trillende stem valt ze uit. Hij is nodig an een bril toe, zeg hem dat maar.

Mans schatert. Ik zal het hem zeggen. Hij tast met een hand in de krat, houdt een pakje omhoog. Kijk, moe, de weekreclame, tien gevulde roomboterkoeken voor n vijftig. Heb je al koffie?

Nee, dat heeft ze nog niet, maar Mans en Goof om zes uur op, dan lusten ze om deze tijd wel een bakkie. De geur van het versgebakken brood opsnuivend, zegt ze: Breng jij de kratten naar de winkel. Intussen zet ik een bakkie.

Goed, moe. Mans sjouwt de kratten naar de winkel, zij zet in de keuken een bakkie.

Vlug een ketel water op het gas, ze steekt het gas aan, pakt de koffiepot, vult het filtertje met koffie, schept op voorhand een lepeltje suiker in de kopjes, en giet na een tijdje het kokende water op de koffie. Tik, tik, druipt de koffie door de gaatjes. Mans komt de keuken in, hij trekt een stoel onder de tafel vandaan, slaat een blik op zijn horloge. Vijf minuten kan hij wel nemen. Hoewel Steef een man is van de klok. Ant schenkt de kommen vol, een scheutje melk erbij, en schuift de kom naar Mans. Hier, een bakkie.

Mans, met de benen op een sport, slurpt aan zijn koffie. Mmmm, lekker, moe, mag ik nog een bakkie? Zoals jij ze zet, zet niemand ze.

Ze schampert. Nee, dat zal waar zijn. Steef Staal prijst haar ook de hemel in. Wat nou Steef Staal, het denken aan hem maakt haar onrustig, ze lijkt wel gek. Wat heeft ze met hem nodig? Ho, ho, Ant Mandemaker, je hebt wel degelijk wat met hem nodig. Jij, je man, Mans. Ze springt op, grabbelt in de keukenkast. We nemen er maar een jodenkoek bij.

Mans, verbaasd: Een jodenkoek? En er zijn gevulde koeken in de reclame.

Dat heb je me niet te vertellen. Hier, een jodenkoek, de gevulde koeken blijven in de winkel.

Mans, verbaasd: Nou moe, of een zo n pakkie gevulde koeken wat uitmaakt.

Voor jou niet, voor Steef Staal wel.

Verontwaardiging: Toe zeg, of-ie op voorhand al die pakken gevulde koeken telt.

Maakt me niet uit, en weet jij wat-ie doet?

Nou, vast niet waar jij hem voor aanziet. Nou, ik stap op, tot vanmiddag moe.

Tot vanmiddag.

Roerend in haar koffie kijkt ze hem na, fluitend loopt hij door de bakkerij. Wat een knul is hij geworden, als hij zo doorgaat, groeit hij Lieuwe voorbij. Lieuwe, hoelang is hij al van huis? Drie, vier jaar? Lieuwe is geen schrijver, alleen af en toe een kaart waarop geschreven staat *Alles goed met jullie? Met mij gaat het prima. Groetjes en tot horens, Lieuwe.*

Goof merkt op: Hij zegt niet veel over zichzelf.

O, ze weet het wel, het is bij Goof nog altijd het oud zeer, dat Lieuwe van jongs af aan spuwde op de bakkerij, en ze zegt: Wat zou hij moeten vertellen? Zon, wind en water.

Goof: En al die vreemde havens die hij aandoet? Je maakt mij niet wijs dat-ie nooit s an wal gaat. Zeelui, je hoort er de raarste dingen over.

Zij weer: Hij is oud en wijs genoeg om op zichzelf te passen.

Goof geeft er geen antwoord op, hij staat op en zegt: Ik ga weer an de slag.

Goof was, toen hij de bakkerij nog had, om vier uur op en nooit klaar. Nu hij op de fabriek werkt: zes uur op en om twee uur thuis, maar of

58

het hem gelukkig maakt? Ze heeft zo haar twijfels. Kom, ze zal zichzelf nog een bakkie inschenken, daarna de handjes laten wapperen. De broden moeten nog op de rekken en om negen uur gaat de deur van het slot. Ze slaat een blik op de kalender. Vrijdag, Liefdegeest zal wel de eerste klant zijn. Hoe zegt-ie zelf ook weer? Met de kippen op stok, en bij het eerste hanengekraai eruit, dat houdt een mens fit en gezond.

Ze krijgt gelijk. Net de deuren open, en wie stapt daar over de drempel: Liefdegeest. Op de voet gevolgd door die dot haar op vier poten. Ze heeft er al klachten over gehoord, met Sientje Mos voorop, en terecht, al heeft ze tegen Liefdegeest er nog geen woord over gezegd. Ze zal zo snel mogelijk een bordje voor het raam zetten met daarop de tekst: *Verboden voor honden.*
Met een schone kopjesdoek veegt ze de toonbank schoon. Er is wel niks te zien, maar toch. Zegers mocht s binnenstappen, je weet het maar nooit. Zegers, hij heeft altijd wat, behalve op zijn boterham. Zegers, die meewarig zijn hoofd schudt en tegen Goof zegt: Man, man, had toch naar me geluisterd, een hypotheekje genoemen en je was eigen baas gebleven, nu loop je weer mee in de pas van Jan Boezeroen.
 Morgen, Liefdegeest, je bent weer het eerste klantje.
Liefdegeest zwijgt, legt zijn hand op de hondenkop en zegt: Liggen. Ze buigt zich ietsje over de toonbank, kijkt in een paar bruine hondenogen. Had ze maar de moed om te zeggen: Voortaan je hond buiten laten, Liefdegeest , maar het is alsof iets haar tegenhoudt, en ze zegt: Het lijkt wel of-ie je verstaat.
Oudergewoonte strijkt Liefdegeest weer over zijn baardje. Een hond luistert beter dan een mens, die zijn horend doof en ziende blind.
 Het lijkt wel of je d r verstand van hebt.
Liefdegeest haalt zijn schouders op. Ach, zo terloops.
 Da s dan niet zo leuk voor je.
 Er zijn ergere dingen, en niets is hetzelfde.
Ergere dingen? Vragend kijkt ze hem aan. Liefdegeest, je kijkt erop, niet erin.
Liefdegeest staart stilletjes voor zich uit. Ze is nieuwsgierig, dat voelt

hij wel, zal hij een tipje van de sluier oplichten? Hersenschimmen, die hem najagen, een mens wordt er alleen maar beroerder van, en hij zegt: Een mens moet proberen gelukkig te zijn met wat hem van hogerhand geschonken wordt. Weinigen die dat begrijpen.

Mooi gezegd, Liefdegeest, maar zo zit ik niet in elkaar. Handjes vouwen en ogies toe, de n krijgt alles en de ander heeft het nakijken.

Hij ziet de bittere trek om haar mond en denkt: ze denkt aan Steef Staal. Hij schudt zijn hoofd en zeg: Pas op, vrouw Mandemaker, rijkdom kan soms een zwaarder last zijn dan schuld.

Rijkdom? Snibbig valt ze uit: Je lijkt warempel de blikken dominee wel, maar ik kan je hierin niet volgen. En wat moet je hebben?

Het oude recept. Liefdegeest pakt de jutezak van zijn schouder en tast op voorhand naar zijn portemonnee.

Het oude recept, Ant kan het wel dromen. Een wit, een krop, een roggebroodje en een rol beschuit. Dat is dan...

Liefdegeest telt het bedrag op het glazen blaadje uit, en het klopt weer nauwkeurig, tot op de laatste cent. Liefdegeest, nooit een slag werk, en altijd boter bij de vis, waar hij ook komt. Je vraagt je weleens af, heeft hij hier of daar een suikeroom? En Mans zegt: Een blind paard kan daar in huis geen schade doen, maar waar je kijkt, overal boeken. Liefdegeest, een levend raadsel. Ze kijkt naar het ruitertje op de beschuitrol, wijst erop en zegt: Jij zal ze niet sparen.

Zeker wel, en waarom die belangstelling, vrouw Mandemaker?

Nou, ik eh ik dacht, een man alleen, die, eh...

begint er niet aan, vult hij aan. Laat ik je dan zeggen, ik spaar ze wel, voor de allerarmste kinderen in Peru.

Jij spaart voor kinderen? stamelt ze onthutst, hem niet goed begrijpend. Kinderen in Peru, dat ligt zo ver van haar bed, en nu zegt Liefdegeest Aarzelend gaat ze erop in en vraagt: Kinderen? Hoe bedoel je?

Zoals ik het zeg: de allerarmste kinderen, die zich in leven houden op de vuilnisbelt.

Wat hij nu zegt, moet ze even verwerken. Ze had er geen idee van dat Liefdegeest Liefdegeest, de zonderling die in zijn eentje aan het Zandpad woont, geen mens lastigvalt, en alleen op vrijdag in het dorp zijn snuit laat zien. Liefdegeest, die ruitertjes spaart. Ze mompelt:

Da s erg, da s heel erg, ik wist niet dat daar Ach, lieve God, en ik gooi die dingen weg.

Hij merkt haar ontdaanheid, gaat er zachtjes op in. En nu je het weet, spaar je ze nu wel?

Een menselijk trekje van Liefdegeest, dat haar vreemd is en tegelijkertijd zo diep ontroert, en spontaan zegt ze: Dan doe ik het voor jou. En ze kijkt aandachtig toe hoe hij de broden in de jutezak stopt, rustig, bedaard, zoals altijd. En hij spaart ruitertjes voor de kindertjes in Peru. Peru, het woord haakt in haar vast. Plots vraagt ze: Vertel s, hoe weet je dat van die kinderen? Ben je wel s in Peru geweest?

Peinzend kijkt hij haar aan en vraagt zich af of hij haar deelgenoot zal maken van zijn verleden. Dat besmeurde verleden waarin hij zelf ook niet vrijuit gaat. Broeder Dominicus, Jetta, en de fatale afloop voor hem — Peer — en de zielennood en de pijn die hij daarna heeft gekend Beter maar daar met geen woord over te reppen, het geheim voorgoed met zich mee te nemen en als het zover is, als de Eeuwige hem oproept, gewogen worden naar zijn daden. Hij ziet nog steeds haar vragende blik op zich gericht, vooruit dan maar, achter de waarheid om, en hij zegt: Ach, je hoort wel s het een en ander, en leest wel s een artikel, en ik heb er een boek over gelezen, *Armoede over de grenzen*. Nou, dat zet je wel tot nadenken.

Dus toch, en Mans die zei: Liefdegeest is een boekenwurm. En lezen zij een krant? Ja, het streekblaadje, met daarin de rouw- en trouwadvertenties en het plaatselijke nieuws. Lieuwe, ja, die wel, die ploos de krant van boven naar beneden en van links naar rechts. Lieuwe, al vier jaar van huis, met af en toe een kaartje, nooit een brief. En zij denkt weleens: uit het oog, uit het hart, en met Goof praat ze er niet over.

Liefdegeest gooit de zak over zijn schouder. Tot vrijdag, vrouw Mandemaker, en doe je man en Mans de groeten.

De groeten? Voor het eerst dat Liefdegeest dat zegt. Liefdegeest, ondanks dat ze nu meer met elkaar praten dan voorheen, wat kent ze hem? Liefdegeest, die ruitertjes spaart voor de arme kinderen in Peru. Liefdegeest, de zonderling.

Liefdegeest, wacht s!

Wachten? Vragend keert hij zich naar haar toe. Ben ik wat vergeten?

Nee, nee, hier, pak an, een koekie voor je hond. Enne ik... Zal ze
hem zeggen wat haar op het hart ligt van die hond? En stel je voor dat
Zegers onverwachts binnenkomt, dan heb je pas werkelijk de poppen
aan het dansen, en staat hij in zijn volste recht. Zal ze ze heeft er de
moed niet toe.

Liefdegeest pakt het koekje aan, kijkt van haar naar de hond, schijnt
in gepeins verzonken, zegt dan: Geen zorg meer, vrouw
Mandemaker, voortaan laat ik de hond buiten, dan vallen er verders
geen woorden. En tot de hond: En jij begrijpt het!

De harige baal op pootjes kijkt kwispelend naar zijn baas op met een
blik alsof hij hem heel goed begrijpt. Maar die zware denkproblemen
waaronder de baas soms gebukt gaat, die moet hij zelf oplossen.

H , h , dat zit. Ant puft uit aan de keukentafel, heel de ochtend heeft
ze achter de toonbank gestaan en ze voelt haar benen. Dit uurtje sluitingstijd tussen de middag is haar meer dan welkom. Heel de ochtend
was het een komen en gaan van klantjes, en de weekreclame — acht
roomboter gevulde koeken — ging met drie, vier pakken tegelijk over
de toonbank. Even na tienen was ze al uitverkocht en moest ze nee
verkopen. Dat zit haar niet lekker, en als Steef Staal met de bestellijst
komt, zal ze het hem onder zijn neus wrijven. Dat is het beroerde met
Steef Staal, hij gaat ervan uit: Eerlijk delen en ieder het zijne , een
stelregel waar hij niet van afwijkt, zodoende krijgt Eef Domper net zo
veel pakken gevulde koek als zij. Maar haar omzet ligt hoger, en ze
had Mans, die tussentijds gauw-gauw een paar kratten met brood
kwam brengen, eropaf gestuurd, met de vraag of Eef voor haar een
paar zakken gevulde koeken over had, maar ze haalde bakzeil en met
het kleine broodwinkeltje aan de Laagzij voor ogen, viel ze snibbig
tegen Mans uit: Dat noem ik lef, onze omzet is hoger dan de zijne.

Mans grinnikte: Je denkt nog ouderwets, moe, omzet wiens
omzet? Omzet heeft Steef Staal, waar wij een percentage van krijgen,
plus een knap loon. Zo is het, moe, en niet anders.

Da s Mans, dacht ze. Recht voor zijn raap. Ze was er niet op inge-
gaan. Maar nog iedere dag voelde ze de pijn dat alles zo was gelopen.

Mans lachte. Kijk niet zo sip, je snapt het zelf ook wel. En Steef is een beste. Zo is het, Steef is een beste, en bij iedereen gezien, en als het moet, staat hij je met raad en daad bij. Steef Staal, alles mee, niks tegen en rijk Jawel, maar nog steeds staat het notarishuis te koop, en Steef Staal loopt er zonder interesse aan voorbij. Dan zou je toch denken Ach wat, het is haar zaak niet. Zij moet het hier draaiende houden, samen met Goof. Goof, hij werkt alweer een aardig tijdje op de broodfabriek en zegt: Ik heb het er naar m n zin. Maar leer haar Goof kennen, de grote verandering is ook hem niet in de koude kleren gaan zitten.

Ze slaat een blik op de klok, ze heeft nog tijd voor een bakkie. Dan moet de deur weer van het slot, hoewel het zal vanmiddag niet zo druk zijn als vanochtend. Een hulpje erbij zou welkom zijn; toch eens met Steef Staal over praten. Eens zien hoe hij erop reageert. Verdorie, komt ze toch weer met haar prakkezaties op Steef Staal? Steef Staal, die heel het leven van de Mandemakers zo heeft veranderd.

Voetstappen in de bakkerij doen haar verbaasd opkijken, niet die van Mans of Goof, die herkent ze uit duizenden. Dat is Aai Mulder. Breeduit staat hij in de deuropening.

Jij? zegt ze, verrast door de man in zijn zwarte pak. Kon je niet voorom komen?

Een brede grijns. De winkeldeur is nog op slot en ik dacht: dan maar achterom, net als vroeger.

Vroeger, het lijkt haar een eeuwigheid. Wat kom je doen, Aai?

Ach, zomaar s kijken, het is hier stil geworden.

Ja, wat wil je? Een kouwe bakker, de gloriedagen zijn voorbij.

Hij knikt. Ja, ja, zo gaat dat, geen warme bakkers meer, ik lever nu al het meel op contract aan de broodfabriek. En op haar kijken: Ja, wat wil je? Handel is handel.

Dat liedje heb je vaker gezongen, en jij dacht ook: de een zijn dood is de ander zijn brood.

Pats, dat komt aan, ze moest eens voelen hoe dat antwoord hem bezeert. Antje Mereboer, ze heeft Aai nooit zien staan. Goof wel, nou, ze weet het.

Zachtjes zegt hij: Da s niet mooi van je, Ant, dat te zeggen. Hoe vaak heb ik tegenover Goof mijn hand gelicht en gezegd die rekening komen wel ?

En je kreeg je geld, klinkt het effen. Nadat ik mijn goud had verkocht.

Je goud? Dat kon ik toch niet weten?

Niemand wist het, op dat moment, Goof ook niet. Jij had je geld en wij konden het weer een poosje uitzingen, al heeft het niet veel geholpen. Steef Staal heeft de warme bakkers in zijn zak en heeft het in de hele regio voor het zeggen.

Het kan wezen zo het is, maar hij is goed voor zijn personeel.

Ja, vertel haar wat, het halve dorp werkt hier voor Steef Staal, feitelijk ook Aai met zijn meelleveranties. Steef Staal, die elke week langskomt en steevast drie bakken koffie lebbert, en haar de hemel in prijst.

Koffie, ze schrikt op uit haar gedachten. Aai, ze laat hem maar staan en al loopt ze niet hoog met hem, Aai is en blijft toch Aai, en ze zegt:

Ga er effe bij zitten, Aai.

Hij zit, met de stille hoop in zijn hart dat ze een praatje met hem maakt. Hij legt zijn pet op de knie, wacht af. Ant tilt het dekseltje van de pot, tuurt erin. Een bakkie, Aai? D r zit nog wat in.

Als ik je niet tot last ben.

Man, klets niet. Hier, een allerhandje. Ze houdt hem het trommeltje voor.

Hij grijnst: De weekreclame van de fabriek?

Je vraagt naar de bekende weg.

Aai knabbelt tevreden op zijn allerhandje, smakt en zegt: Dat smaakt bijna net zo goed als de koek van Mandemaker.

Bijna? Het is koek van Mandemaker. Goof zwaait de scepter in de banketbakkerij en bakt naar eigen recept.

En Steef Staal denkt ook: daar vaar ik wel bij.

Dat had Aai niet hoeven zeggen. Ze kat: Wat kan mij het schelen wat die vent denkt?

Aai zet de lege kop op het schoteltje terug. Ant voelt zich niet meer zo zeker in hun gesprek, het is ook niet niks als je na jaren van hard werken het heft uit handen moet geven. Zachtjes troostend zegt hij:

Je moet het zo zien: Steef Staal denkt voor ons allemaal.

Ze snibt: Ik hou liever mijn eigen gedachten. Dat gepraat over Steef

Staal, ze wordt er zat van, en gooit het over een andere boeg. Ze zegt: Hoe gaat het met Greet?

Greet, zijn vrouw, stoer in de schouders, breed in de heupen, met een warm hart en een gulle lach. Greet loopt hoog met hun dochter Alie, en nog hoger met Steef Staal, en vertrouwt Aai ze toe: Ik hoop dat dat tweetal nog eens op vrijersvoeten gaat.
Reken daar maar niet te vast op, tempert hij haar illusie: Geld trouwt geld.
Greet, in haar wiek geschoten, sputtert tegen: Of wij zo arm zijn: een graanmaalderij, een eigen huis plus garage, en dat alles onbezwaard.
En hij een broodfabriek plus wagenpark en eigen personeel, een dure sportauto onder z n kont en een vaar die zwemt in zijn centen. Wees toch wijzer, meid, die lui zien ons niet eens staan.
Greet geeft geen krimp. En jij levert elke week meel aan de brood-fabriek.
Hij, narrig: Juist, en dat is het enige. Hij draait zich om en loopt de kamer uit. Greet, wat haalde ze in haar hoofd? Nog wel Steef Staal Loopt ze met een blinddoek voor?

Met Greet, herinnert hij zich Ants vraag, goed, niet dat het aan lief-de overloopt, da s geweest, een gezapig huwelijk, dat wel, waarin een mens gelukkig is, voor zover een mens gelukkig kan zijn.
En Alie?
Alie, Aais dochter en zijn trots, en hij zegt: Ze is het liefste dat ik in de wereld bezit.
Ze knikt. Ik begrijp het, kinderen, je doet er alles voor, maar naar-mate ze ouder worden en jou daar dankbaar voor zijn, daarover heb ik mijn twijfels. En ze denkt daarbij aan Mans, maar vooral Lieuwe, zwerver over de wereldzee n en nergens thuis. Wat kletst Aai nu? Alie en Mans? Dat tweetal samen? Wat haalt hij nu in zijn hoofd? Argwanend kijkt ze hem aan en vraagt: Ga je koppelen, Aai?
Ach, koppelen, dat niet direct, maar als kinderen zijn ze met elkaar opgegroeid en dan denk je wel s.
Aai, hij staat met zijn gezicht naar het verleden, en dan te weten dat Mans Alie niet ziet staan. Ze polste hem en zei: Alie is toch

een aardig kind.

Mans, minachtend: Kind, net wat je zegt, en al was ze de enige meid op de wereld, dan nog niet.

En Aai, die haar gedachten raadt, zegt: Ik merk het al, jij bent er ook wars van.

Gemoedelijk gaat ze ertegen in. Doe me een plezier, Aai, laten we ons erbuiten houden, en de toekomst aan de jongelui overlaten. Dan, met een blik op de klok: t Wordt tijd, de winkel moet van het slot.

Ze staat op, schuift de vuile kommen in elkaar, zet ze op het aanrecht en zegt: Dat loopt niet weg. Die vind ik vanavond wel.

Het sein van vertrek, denkt hij. Aai staat op, schuift zijn stoel onder de tafel, zet zijn pet op en zegt: Je moet maar zo denken, van de omzet moet het komen.

Net als overal. Ze glimlacht heel even, maar het lijkt wel of ze niet meent wat ze denkt. Omzet, jawel, omzet voor Steef Staal, en hoe meer zij verkoopt, hoe liever het hem is.

 Dag, Ant, en bedankt voor de koffie.

 Geen dank, Aai, en doe de groetjes aan Greet.

Mans en Alie, denkt ze al dribbelend door de winkel. Wat zo n man al niet bedenkt. Zou hij gelukkig zijn met Greet? Door haar is hij de man geworden, dat weten ze hier allemaal in het dorp, en daar komt Aai ook eerlijk voor uit. Maar Greet heeft het de laatste tijd wel een beetje hoog in haar bol, sinds Steef Staal daar over de vloer komt. Voor zaken, net als hier, bij Ant, en zou hij bij Greet ook zo veel koffie lebberen?

Zo, de deur is van het slot, de verkoop kan weer beginnen.

HOOFDSTUK 5

Al drie jaar, denkt Mans, rij ik als chauffeur-bezorger met de broodbus door de polder, over binnendijkjes en langs polderwegen waaraan kapitale boerenhoeves grenzen waar ik het brood bezorg. En al
drie jaar zijn ik en mijn vader in vaste loondienst bij Steef Staal, de
directeur van de broodfabriek, met een warm kloppend hart voor zijn
personeel. Personeel, verdeeld in de werkende klasse en de leiding-
gevende. Na Steef Staal hebben ze Meester, de manager, met zijn wat
bekakte spraak en zijn stadse maniertjes. Hij kocht het oude boerde-
rijtje van Stammes aan de Veerweg, liet het voor geld en lieve woorden door een beunhaas opknappen, noemde het zijn tweede huis en
brengt er nu met zijn vrouw en kinderen het weekend door.
Smallenbroek, de boekhouder, dito. En ook Martens, de automonteur
en tevens de baas van het wagenpark, liep met zo'n plan in zijn
hoofd rond van een huisje buiten, het summum van geluk, want hier
ademt de mens nog zuivere lucht in. Maar dat Martens zo sprak, had
zijn reden. Zijn dochtertje heeft bronchitis en ligt steevast twee keer
in de week aan de zuurstoffles, en dat door die stinkende uitlaatgas-
sen die het milieu in de stad verpesten. Maar Martens had niet zo'n
dikke portemonnee als die bekakte Meester. Steef Staal, die heel die
mis're ter ore kwam, riep Martens bij zich op het kantoor, en wat
daar besproken werd, liet zich raden. Precies drie maanden later ves-
tigde Martens zich met zijn gezin voorgoed in het dorp, haalde Liesje
— een van de dochters — het dagelijks brood bij Mandemaker en stond
Martens' vrouw in het weekend als hulp in de winkel. En Steef zei
met een tevreden lach tegen Mans' vader: Zo snijdt het mes aan
twee kanten. Martens, een gelukkig man, en jouw vrouw een tevreden mens.
Vader, bezig met het opspuiten van tompoucen — de weekreclame —
zei: Moet ik je geloven wat je daar zegt, of steek je er de draak
mee?
Steef schoot in de lach, sloeg zijn arbeider amicaal op de schouder
en zei: De tijd zal het leren, Goof Mandemaker.
Zo is dat, de tijd. En het lijkt wel alsof met de komst van de broodfabriek een andere tijd is ingeluid, het dorp wordt door de stedelin-

gen ontdekt, vanuit de stad is de trek naar het platteland begonnen, neemt het aantal bewoners in de nieuwe wijk toe, worden kleine boerenbedrijven door makelaars opgekocht en voor veel geld doorverkocht, meestal aan kunstenaars die van subsidie moeten leven, of aan rijke gasten die juist over die subsidie heel wat in de melk te brokkelen hebben.

Mans zwenkt de weg af, slaat een brede oprijlaan in met aan het eind het kapitale bedrijf de Eenhoorn, een van de mooiste hoeves in de polder en vorig jaar verkocht aan een ambitieuze dierenarts, die Gelderse harddravers fokt en rijpaarden verhuurt aan enthousiaste beginnende ruiters die daarvoor een weekend op de Eenhoorn komen logeren, en het nuttige met het aangename verenigen. De oude paardenstallen zijn omgebouwd tot een manege naar de eisen des tijds, en boven de staldeuren zijn kleine, paarse ruitjes in ijzeren sponningen bevestigd. Dierenarts Versluis, naar horen zeggen komt hij uit de Achterhoek, woont hier nu met zijn vrouw en kinderen, en Steef Staal is daar een welkome gast, in het weekend verruilt hij zijn glanzende pk s op wielen voor n pk op vier benen, zie je hem samen met Versluis door de polder rijden. Versluis geeft ook rijles en Mans houdt van paarden. Hij zou graag paardrijden willen leren, maar dat is duur, hij heeft er het geld niet voor, en aankloppen bij zijn moeder, vergeet het maar. Haar mening: die stadslui met hun dure fratsen, maar pa gaat er brommend tegen in: Wees eerlijk, Ant, vroeger hadden de boeren hier ook een eigen rijvereniging.

Moeder snuift hoorbaar. De boeren, da s zo lang geleden, je kunt ze nu op de vingers van n hand tellen. Eerst de broodfabriek en nu die stadslui, neem alleen de nieuwe wijk; je struikelt over ze. Het klinkt niet onvriendelijk, maar ook niet als een welkom. Moeder, die net als sommige dorpers zegt: Beste lui, maar het is ons soort mensen niet.

Vader dient haar van repliek: Dat soort mensen koopt wel in onze zaak, dat schijn jij te vergeten.

Moeder, met een zure blik: Onze zaak, ja, ja.

Moeder is heel het gebeuren uit het verleden nog niet vergeten, en vader praat er niet meer over. Hij zwijgt het dood. Vader heeft nu iets anders waar hij zich kwaad over maakt. Dat is dat Lieuwe taal noch teken geeft, ja, in het begin een simpel kaartje, maar de laatste jaren is het stil.

Zo, hij is er. Hij stapt de bus uit, schuift het portier open en kijkt op de bestellijst. Hij pakt de broodmand en vult. Nou, dat is niet mis: drie volkoren, drie wit, drie krent, twee pakken roggebrood. Zo te zien komt er weer volk over de vloer, ruiters van her en der. Nu nog vier rollen beschuit, het ruitertje met zijn trompet glimt hem tegemoet.

Prompt verschijnt Liefdegeest op zijn netvlies. Liefdegeest, wat hij ervan weet ook import, en hij spaart ruitertjes voor de arme kinderen in Peru. Wie had dat gedacht, als een lopend vuurtje ging het door het dorp, en sindsdien zien de dorpers hem niet meer als import maar als mens en een van hen, en sindsdien spaart iedereen ruitertjes, en gaan alle deuren voor hem open, maar Liefdegeest mompelt een groet en loopt al die open deuren voorbij, wat menigeen verwondert, en opnieuw breekt het geklets los.

Hij loopt de drietreeds arduinen stoep op, geeft een ruk aan de bel, hard galmt het geluid door de gang. De statige voordeur gaat open, en hij kijkt in de mooiste blauwe ogen van heel de wereld.

Voor hij iets kan zeggen, zegt zij met een lach: Kom je de bestelling brengen? En met een blik op de overvolle broodmand: Je zult wel denken: voor een weeshuis, maar in het weekend is het huis weer vol met ruiters. En wat spottend minachtend: Al die knollen, het houdt wat in.

Hij, diep onder de indruk van die blauwe kijkers, stamelt: Knollen, het zijn paarden.

Een spottend lachje: Goh, daar zou ik zelf niet op komen. Geef die mand maar hier, bakkertje, je krijgt hem zo terug.

Ze verdwijnt door de vestibuledeur en hij staat op de stoep bij te komen. Voor het eerst voelt hij zich fel aangegrepen door verbazing en verwondering dat er zulke meisjes bestaan. De vestibuledeur zwaait weer open en hij voelt zijn hart bonzen bij het zien van die lachende ogen.

Haar zangerige stem: Je mand terug, bakkertje, en hier is je geld. Ze telt de munten uit op zijn hand. En dit is voor jou, voor het bezorgen. Op het koperen geld een zilveren muntje, verbluft kijkt hij erop neer. Een jodenfooi, gaat het door hem heen. Zo koop je armen af.

Haar schaterende lach: Wat sta je stom te kijken.

Die lach doorsteekt heel zijn wezen. Nee, grauwt hij, en hij gooit het geldstuk van zich af, het muntje vliegt door de lucht, valt op de grond, wentelt een paar keer om en om, blijft liggen blinkt zilverig op in het zonlicht.

Poeh, klinkt haar stem. Kale neet, houd je maar groot.

Pats, met een harde slag slaat de deur in het slot. Met trillende benen loopt hij de stoep af, en heel de verwondering van zo-even is uitgedoofd, wat overblijft is de ontluistering, en hij neemt zich voor: al staat Steef Staal op zijn kop, hier bezorgt hij — Mans — geen brood meer, al zal het zijn baan kosten.

Steef Staal heeft voorlopig heel andere dingen aan zijn hoofd dan zich druk te maken over een knecht die het vertikt nog langer brood te bezorgen op de Eenhoorn. Hij heeft, nadat het twee jaar heeft leeggestaan, het notarishuis gekocht. Weliswaar nadat hij een derde van de koopsom had afgedongen. Alles goed en wel, was het antwoord: Geef me een paar dagen de tijd daarover na te denken.

De notaris dacht na, wist dat hij wat de prijs betrof sterk overvraagd had, en nu Steef Staal met zijn aanbod kwam, kreeg hij precies de prijs die hij ervoor in zijn hoofd had. Beiden waren tevreden, de koop werd met een goed glas wijn bezegeld, en daarna ging ieder zijns weegs. De notaris ging voorgoed bij zijn dochter in Frankrijk wonen, en Steef keerde terug naar de fabriek, kwam onderweg Kobus Korthals tegen en gaf hem de opdracht al de ramen van het notarishuis te zemen en ook de ramen van het theehuis in de tuin.

Daar heb ik dagwerk an, dacht Kobus, hij gooide de ladder op de bakfiets, klom op het zadel, trapte de piepende pedalen in het rond richting Kerkplein, waar het notarishuis in al zijn statigheid stond te pronken, al wachtend op zijn nieuwe eigenaar.

Kobus begon vol goede moed, klauterde trap op, trap af, zeemde de ramen van boven naar beneden, van links naar rechts, en zweette als een otter. Al die ramen, al die erkers, er kwam geen eind aan. Pas in de namiddag was hij eindelijk toe aan het theehuis. Het stond helemaal achter in de tuin, onder het bladergroen van een lindeboom naast een vijver vol witte waterlelies, en aan beide kanten opgesierd met twee marmeren beelden, een man en vrouw in natuurlijke staat.

Kobus keek zijn ogen uit, mompelde: Twee bloterikken. Hij wreef zachtjes met zijn hand over een vrouwelijke boezem, fluisterde: Heel eventjes maar, werd tot achter zijn oren rood als een kroot, en dook het theehuis is. Of het nu door de opwinding kwam of door het ramen zemen, plotseling voelden zijn benen als lood. Hij gaapte luid en lang, lispelde: Heel eventjes mijn ogen toe, niemand die het ziet, zakte toen op de grond neer, wuifde een zoemende mug vlak bij zijn oor weg, en sukkelde in slaap. Toen hij wakker werd, was het al donker. Hij wreef zijn ogen uit, was hij zo lang onder zeil geweest? Hij kwam overeind, sloeg het stof van zijn broek, stopte zeem en ramenwisser tussen zijn broeksriem, stapte naar buiten, en dook tegelijkertijd weg achter de laat bloeiende ligusterhaag.

Verrek, mompelt hij geschrokken. Wat heb ik nou an m n fiets hangen? Er brandt licht in het huis, schaars licht, dat wel, maar heel zeker weet hij: dat kan Steef Staal niet zijn, die toert na vijf uur in zijn glanzende slee richting stad. Maar wie o wie, daar moet hij het zijne van weten. Langs de ligusterhaag sluipt hij voetje voor voetje voort, staat hier en daar eventjes stil en gluurt om zich heen. Dan sluipt hij verder in de richting van het schrale licht dat door het venster valt.

Kobus voelt instinctmatig dat degene die daar in het huis, net als hij om de een of andere reden niet gezien wil worden. Hij hurkt neer onder het raam, trekt zich op aan het raamkozijn, gluurt naar binnen. Kobus heeft scherpe ogen, maar kan niet geloven wat hij nu ziet: midden in het vertrek staat een achtergebleven crapeaud van de notaris, en in die crapeaud een keurig gekleed oud heertje, jawel, de vader van Steef Staal, met op elke knie een knappe, jonge meid, lachend, kirrend, de vleselijke verleiding zelf. Ook Staal senior is in staat van opwinding en laat zich niet onbetuigd. Zijn hand streelt telkens weer de plek die Kobus ook aanraakte zojuist, met dat verschil dat de een koel, koud marmer was en de ander zacht, warm en puur natuur. Kobus smoort een vloek, zakt terug op de grond en mompelt: Dat kun je doen als je rijk bent as de pest.

Maar het leven gaat door, voor Kobus, in het ramen zemen, maar het beeld van die oude snoeperd staat in zijn herinnering gegrift, en wie weet kan hij er in de toekomst een slaatje uit slaan. Als glazenwasser krijg je ongewild veel te zien en nog meer te horen. Hoewel, je vraagt je soms af: waar of niet waar? Maar op die bazuinstoot ligt zijn geweten niet wakker.

De volgende dag moet hij ramen zemen bij meester Winsma. Zo, hij is er, trekt de rem van zijn bakfiets aan, stapt af. Meester Winsma, die de achterblijvertjes in de klas gratis bijles geeft en elk jaar voor de peuters van het dorp voor de goedheiligman speelt. De meester heeft ook de vereniging Voor het goede doel opgericht, dat is voor de minder bedeelden, en voor het bestuur heeft hij wat notabelen weten te strikken, onder wie Steef Staal. Nee, van meester Winsma geen kwaad woord. Meester Winsma, die met zijn hoedje op zijn grijze haren net naar buiten komt als Kobus op de bel wil drukken.
Zo, Kobus, klinkt het vriendelijk. Voor je de ladder op klimt, ga even achterom. Coby heeft nog wel een bakkie troost voor je.
Kobus licht beleefd zijn pet. Dank u, meester. Voor iedereen in het dorp is het meester, geen meneer.
En hoe bevalt de bakfiets? Het is zomaar een vraag, maar Kobus schrikt ervan. De bakfiets! Het woord zit aan zijn hersenen gekleefd. Twee maanden terug, toen hij bij het eerste hanengekraai de gordijnen opentrok, stond op het straatje achter het huis de bakfiets. Hij schoot in zijn jas en pantoffels, rende naar buiten en vroeg zich verbaasd af: van wie o wie? Aan het stuur hing een kaartje waarop slechts twee woorden stonden: *Da s beter*. Peinzend tuurde hij op het kaartje neer, vroeg zich af of het een geschenk was van Voor het goede doel . Jarenlang heeft hij met die ladder lopen sjouwen, zijn ene schouder is er zelfs een beetje scheef door geworden, want een bakfiets, vergeet het maar, daar had hij het geld niet voor in zijn portemonnee, en opeens stond hij daar achter het huis, een wonder. En nu vraagt meester Winsma hem Zou hij er wat van weten?
En verlegen met zichzelf vraag hij zachtjes: Is het soms een geschenk van Voor het goede doel ?
Winsma trekt verbaasd zijn wenkbrauwen op. Een bakfiets? Niet dat ik weet. Dat zou een te grote aanslag zijn op onze kas. Dag, Kobus.
Dag, meester. Hij loopt achterom, pijnigt zijn hersens. Van wie dan? Wie? Hij komt er niet achter.

72

In de keuken schenkt Coby koffie in, schuift het bakkie troost over het zeiltje naar hem toe. Asjeblieft, glazenwassertje, het is je gegund, en wat rij je een mooie bakfiets. Coby gaat door met worteltjes schrappen en werpt een schuine blik op Kobus, die met twee handen om zijn kom aan zijn koffie lebbert. Kobus, geen luis om dood te drukken en toch een bakfiets onder zijn gat, van wie en waar, en ze vraagt: Zeker van een goeie gever?

Nu bij zijn positieven blijven, Coby gaat vissen, en Kobus zegt: Heb je wel s van een oude kous gehoord?

Jij? Een oude kous? Zeker met een gat erin?

Kobus gaat er niet op in. Hij denkt opeens aan het tafereeltje in het notarishuis, dat voor zijn ogen niet bestemd was, maar vergeten kan hij het niet, en hij zegt: Het notarishuis is verkocht.

Ja, gaat Coby erop in. En naar wat ik weet, is Steef Staal de nieuwe eigenaar.

Maar Steef Staal komt er niet te wonen.

Coby, verbaasd: Hoe weet jij dat nou?

Net als jij, van horen zeggen.

Coby: Dan ben ik benieuwd wie wel.

Hij: Misschien zijn rijke pa met een van z n liefjes, en met het tafereeltje in zijn geest, Staal senior met op elke knie een verleidelijk hupsakeetje: Tja, je kunt nooit weten.

Coby haakt erop in. Wat voor liefie? Een blondje, een zwartje of een rooie? Veertien dagen terug zag ik Steef Staal met een blonde meid aan zijn arm en vorige week zag ik hem zitten met een zwartje op het terras van caf De Lange Jan.

Daar? verbaast Kobus zich.

Ja, daar. Coby weer. En weet je wie er bij ze aan het tafeltje zat?

Nee, dat weet hij net zomin.

Liefdegeest, kun jij je dat indenken?

De zonderling? Zijn mond valt open van verbazing.

Ja, klinkt het triomfantelijk. Had je niet gedacht, h ?

Nee, dat zeker niet, en al doet hij nog zijn best om dat wel te doen, zijn fantasie omtrent Steef Staal schiet hierin tekort. En Coby ratelt maar door. Coby, gelijk Sientje Mos, is een kletskous. En hij dan — Kobus Korthals — met het geheim dat hij alleen kent, en waar hij met zijn dorpse sluwheid misschien een slaatje uit kan slaan, wie weet. Maar dat gaat hij Coby niet aan haar neus hangen. Hij zegt: Als jij het zegt, zal het wel zo zijn, maar wat gaan ons die lui an?

Coby is het daarin met hem eens, en al die import van de laatste tijd, sinds de broodfabriek zich hier heeft gevestigd lijkt het wel alsof al die stadslui de weg naar het dorp weten te vinden, en ze zegt: Zo is dat, die lui met hun kouwe kak. Het begon met Liefdegeest, toen Steef Staal met in zijn kielzog een zootje van die stadslui met hun eigen praat en vreemde gewoontes.

Ze zijn gevaarlijk, antwoordt hij, en prompt, met het beeld van het notarishuis op zijn netvlies: Daar moet je voor oppassen.

Coby, onverschillig: Wat kan ons die lui schelen, zij daar, wij hier, dan valt er niks.

Dat zeg jij, antwoordt hij twijfelend, met zijn gedachten bij Steef Staal, die met zijn broodfabriek voor vele arbeidsplaatsen heeft gezorgd, en het dorp naar de welvaart bracht, weliswaar ten koste van een aantal warme bakkers. Zij werden voor de keus gesteld: of in de sanering, of in loondienst bij Steef Staal. Drie kozen er voor de sanering, Goof Mandemaker en zijn zoon Mans voor Staal. Goof werkt nu op de fabriek, Mans rijdt op de broodbus, Ant staat achter de toonbank en Steef Staal komt prompt elke week bij hen langs. En sommigen in het dorp zijn van mening: dat heeft Goof Mandemaker goed bekeken, die papte aan met Steef Staal, en als tegengift mag die linkmiechel zijn zaak openhouden, op voorwaarde dat hij fabrieksbrood verkoopt, en zo haalt Goof er toch nog zijn centjes uit.

Dan komt Liefdegeest zijn geest binnenhuppelen. De zonderling, een geval apart, die in zijn eentje aan het Zandpad woont met zijn hond en een koppeltje kippen in zijn achtertuin, en waarvan Mans zegt: Het is een heel bijzonder mens, dat is-ie, hij zit rondom in de boeken en vreet letters, en Mans kan het weten, hij heeft er brood gebracht, en bij die herinnering vraagt Kobus zich af of er in Liefdegeest dan toch meer schuilt dan een eenzame zonderling? Liefdegeest, die met Staal op het terras zat, op vrijdag als een schaapherder door het dorp sjokt in zijn blauwe boezeroen en op gele klompen. Liefdegeest, die sinds kort in niet n winkel zijn hond meer mee naar binnen neemt, maar buiten vastzet aan een boom, een hek of fietsenrek. En hij neemt zich voor daar toch eens met Mans over te praten.

Maar dat loopt anders. Als hij aan het eind van de middag klaar is met lappen en zemen, rijdend op zijn bakfiets op huis aan gaat, wie stuift hem in de Torenstraat luid toeterend in zijn oogverblindende slee voorbij? Precies, Steef Staal. Met een grauw schiet hij op zijn bakfiets naar links, want is dat nog rijden, hij schrikt zich rot.

Wie niet minder schrikt, is Steef, in de achteruitkijkspiegel ziet hij een verschrikte Kobus naast zijn bakfiets staan en mompelt: Dat was op het nippertje, *old boy*. Hij rijdt zijn auto achteruit richting Kobus, draait het raampje naar beneden en zegt: M n excuus, beste man.

Excuus? schettert Kobus rood van woede: Kijk beter uit je doppen, je reed me bijna ondersteboven! Jaagt de duvel achter je kont an?

De duvel? Kobus moest eens weten. Jawel, maar dan in de gedaante van Staal senior. Pa, die zich door een oude kennis heeft laten ompraten en weer gaat speculeren op de beurs.

Hij, onthutst: De beurs, ik dacht dat die tijd ver achter je lag.

Pa, enthousiast: Wat is ver, het wordt tijd dat ik weer s een gokje waag. En in zijn handen wrijvend: Geloof me of niet, ik heb d r zin in.

Hij, sceptisch: Man, wees toch wijzer, laat je door die Brakels niet opjutten

Brakels, het type van pa, twee ouwe snoeperds met *wein, weib und gesang* hoog in hun vaandel. Brakels, de parvenu met zijn omvangrijke buik, zijn driedubbele onderkin. Hij — Steef — kan die kerel wel schieten.

Pa, met een grauw: Spuug niet op Brakels, een gewiekste beurshandelaar, ik heb veel van hem geleerd en nog meer aan hem te danken.

Ja, stoof hij op, met het beeld van de vadsige Brakels voor ogen, hoe jullie in luttele seconden een ander tot wankelen kunnen brengen, en dan praat ik nog niet over de elkaar toegespeelde bonussen.

Als door een wesp gestoken veerde pa op uit zijn stoel en wit van woede beet hij hem toe: Ja, ja, je ouwe heer, h ? Die met inleg en speculeren rijk geworden is op de beurs. Maar dat jij daar een broodfabriek aan hebt overgehouden, daar hoor ik je niet over.

Steef, plotseling uiterst kalm: Je moest toch ergens met al dat geld heen. En ik, voor de schijn voor heel de buitenwereld de directeur-eigenaar, maar op het papier staan heel andere letters, en dat weten wij beiden heel goed, papa.

Pa, plots in een welwillend gevoel van nederigheid: Begrijp het dan, jongen, niet beter belegd dan in onroerend goed. Een broodfabriek, jawel, een ietwat gewaagd plan, ik geef het toe, maar het proberen waard. En je moet het zo zien: je brengt de welvaart in de regio en haalt die boerenheikneuters uit hun isolement.

Zag hij, Steef, het zo? Welvaart en vrije marktwerking, ja, ten koste van al die gesaneerde bakkers, maar daar heeft pa geen boodschap aan. En Steef zelf dan? Wat heeft hij gedaan? Mooie beloften op voorhand, maar omzetten in daden, daarin is hij slechts gedeeltelijk geslaagd en voor de rest is het afwachten. Hoewel hij en de familie Mandemaker heel vertrouwd tegenover elkaar staan, vooral met de vrouw des huizes kan hij het heel goed vinden. Ant Mandemaker, een vrouw van melk en bloed, en een lust voor het mannelijk oog, de laatste tijd denkt hij veel aan haar, te veel.

De stem van zijn vader, die hem weer bij zijn positieven brengt: Ik mag dan in jouw ogen een slechterik zijn, maar als je vader de pijp uit gaat, erf jij alles, ben je een rijk man, misschien dat je dan wat milder over je vader zult denken.

Pa, die zo sprak, moest Steef blij en dankbaar zijn? Hij kan het niet. Pa, hij denkt en ziet het zo anders, Steef ziet het door een andere bril, want de broodfabriek brengt niet alleen welvaart maar ook verdeeldheid in het dorp. Maar pa denkt en ziet alles met het oog van een beurshandelaar. Geld, geld. In alles wat hij doet, denkt hij alleen aan geld. Geld en mooie vrouwen. Steefs moeder heeft aan die wilde escapades van zijn vader nooit kunnen wennen. Zijn moeder had ondanks haar rijke huwelijk een leeg en eenzaam bestaan. Moeder, ze schittert nu als een ster aan de hemel. Met dat besef in zijn achterhoofd viel hij hard uit. Een erfenis Weet wel, pa, zo gewonnen, zo geronnen. Saluut, volgende week zie je me terug. Enne, wanneer wil je verhuizen?

Trek zelf maar in dat hok, snauwde pa. En laat je kop hier voorlopig niet meer zien!

Hij begreep dat de bitterheid van zijn woorden pa diep hadden gekwetst. Pa, die zich weer door die slinkse Brakels heeft laten ompraten en weer naar de beurs gaat. Heel de weg liet dat gesprek hem niet los en dat was de reden dat hij Kobus bijna van de sokken had gereden. Kobus, die nog grauw ziet van de schrik en met trillende hand een paar maal door zijn ogen wrijft. Hij heeft met de man te doen en zegt: Nogmaals mijn excuus, Kobus.

Excuus, excuus... keft Kobus. Wat krijg ik daarvoor, rijken denken dat ze alles magge... Zou hij aan Steef vertellen wat hij heeft gezien in het notarishuis?

Steef glimlacht een beetje zuur, die Kobus toch. Kobus de glazenwasser, heel de dag trap-op trap-af, je zult het maar moeten doen. Verhip, dat is waar ook, hij moet hem nog betalen voor het zemen van de ramen van het notarishuis. Hij doet een greep naar zijn portemonnee, haalt er een biljet uit. Hier, Kobus, dat heb je nog tegoed van me.

Ogen als schoteltjes. Honderd piek? Dat kan ik niet wisselen.

Hou maar, de rest is fooi. Je hebt daar trouwens een pracht van een bakfiets.

Kobus, nog totaal overdonderd, want een fooi, maar wat voor fooi, bekent eerlijk: Gekregen, en van wie, dat mag Onze Lieve Heer weten.

Die weet het dan ook, lacht hij. Misschien heeft Hij de voorzitter van Voor het goede doel wat in zijn oor gefluisterd.

Kobus schudt zijn hoofd. Meester Winsma weet het ook niet.

Ach, zo, Kobus en wat nu?

Kobus krabbelt weer eens onder zijn petje, die bakfiets kost hem hoofdbrekens, en hij zegt: Bent u soms de goeie gever? U en niet jij. Plotseling worstelt Kobus met het standverschil.

Steef zegt: Nee, maar achteraf zou ik willen dat het wel zo was. Maar ik heb zo n stil vermoeden dat ik de naam van die gever weet.

Kobus, gretig: O ja, wie dan?

Liefdegeest.

Een en al verbazing. Wat? De zonderling aan het Zandpad? Die kerel is half kierewiet door de eenzaamheid.

Steef grinnikt: Zo half kierewiet zal jij zijn.

Liefdegeest, Steef heeft een paar maal met de man gesproken en kwam er al gauw achter dat het een ruimdenkend mens is met een scherpzinnige intelligentie, een groot natuurkenner, en een man die zich niet uitsluitend op het materi le richt, maar ook hang heeft naar het geestelijke. Op een of andere manier hield de man hem in zijn ban en Steefs nieuwsgierigheid was gewekt. Een paar maal was hij naar het Zandpad getoerd, verwonderde zich telkens weer over die vele in leer gebonden boeken, waaronder de klassieke werken van de Grieken en Romeinen, de Bijbel, de Koran, en een boek over het boeddhisme, en wijzend op al die leren banden zei hij: En al die geleerdheid lees jij?

Liefdegeest ging op zijn vraag niet in, keek stilletjes voor zich uit en zei: Wat een vreemde avond, jij, Steef Staal, hier bij mij op bezoek.

En voor mij is het vreemd al die geleerdheid hier te zien.

Geleerdheid? Liefdegeest schudde zijn hoofd. Dat was eens, nu niet meer, en zullen we erover zwijgen? Hij wees op een stoel en zei: Ga daar zitten, dan schenk ik je een glas fris in.

En hij slofte naar de keuken, en Steef riep hem na: Neem er zelf ook een.

Daar zaten ze dan, ieder aan de kant van de tafel, de hond ervoor, af en toe nam Steef een slok jus d orange en wierp hij een blik op het magere gelaat van Liefdegeest.

Plotseling gleed er een glimlach over, die er een glans aan gaf als een ver, stil licht, en opnieuw klonk het: Wat een vreemde avond, jij, Steef Staal, bij mij hier op bezoek.

Ja, gaf hij toe. Zeg dat wel, een vreemde avond, en ik heb het gevoel dat we elkaar al jaren kennen.

Op dit ogenblik, ging Liefdegeest erop door, mooie woorden vol geborgenheid, maar het hangt ervan af wie dat zegt, hoe en wanneer.

Pas laat in de avond vertrok hij, met de belofte: Ik kom gauw weer om.

En Liefdegeest zei: Je bent altijd welkom.

Bam, klinkt de kerkklok. Het geluid rolt door tot in de Torenstraat, jaagt de overpeinzing van Steef op de vlucht en ook die van Kobus, die moeite heeft met wat Steef hem zei: Ga s met Liefdegeest praten.

Kobus huivert, denkt aan wat hij allemaal over de man heeft gezegd, dat waren lang geen mooie woorden, en hij zegt aarzelend: Ik, praten met Liefdegeest?

Ja, jij, en kijk niet zo benauwd. Hij vreet je niet op.

Kobus mompelt wat onverstaanbaars, bromt dan: Ik zal wel zien.

Nee, doen! dringt Steef aan. En nog s wat: voortaan kun je iedere week de ramen van het kantoor en de fabriek zemen. Vraag naar Smallenbroek, dat is de boekhouder, en zeg dat ik je gestuurd heb. En dat-ie de boel in orde maakt: contract, salaris, enfin, heel de rimram. Mits je er oren naar hebt Enfin, denk nog maar s na over al wat tegen je is gezegd. Dag, Kobus.

Het raampje omhoog, een peut gas, en weg is Steef Staal.

Kobus, totaal overdonderd door alles wat hij heeft moeten horen en wat tegen hem is gezegd, kijkt verbouwereerd de auto na, terwijl die om de hoek van de straat verdwijnt.

Wat een dag, wat een dag... mompelt hij. Kobus staat nog een beetje te trillen op zijn benen. De woorden van Steef Staal gieren in zijn kop na. Maar praten met Liefdegeest, daar ziet hij als een berg tegen op. Dat contract ligt hem beter, daar heeft hij oren naar, daar hoeft hij niet over na te denken. Al die ramen van het kantoor en de fabriek, dat zet zoden aan de dijk.

Gepiep van remmen, dat is de broodbus, met Mans aan het stuur. Hij draait het raampje naar beneden en zegt: Da s de stomste streek die je kunt doen, Kobus, midden op de rijweg te blijven staan. Vat je?

Ik vat niks, grauwt Kobus. En hou je grote bek tegen een ouwe man. Verdomme, ze moeten hem vandaag wel hebben, eerst de een, dan de ander.

Mans schiet in de lach. Jij, oud? Een ouwe kwebbelaar, dat wel. Heb je trek in een paar krentenbollen?

Kobus toomt in. Als je een paar zakkies over hebt...

Toe maar, een paar nog wel. Hier, vang!

Drie zakken krentenbollen suizen door de lucht. Kobus vangt ze met allebei zijn handen, plotseling lekken een paar tranen langs zijn wangen. Eerst Steef Staal, nu Mans, er zijn toch ook nog goede mensen op de wereld. Bedankt, Mans.

Geen dank, maar blijf voortaan met je bakfiets een beetje aan de kant. Saluut! Weg is Mans, en Kobus blijft achter met zijn gedachten aan Liefdegeest, dan toch maar doen wat Steef Staal tegen Kobus heeft gezegd? Hoe hij er ook tegen opziet Met een bezwaard hart klautert hij op zijn bakfiets, trapt de piepende pedalen in het rond en slaat de richting in naar huis.

HOOFDSTUK 6

Ant Mandemaker scheurt de blaadjes van de kalender, dat is iets wat ze voorheen niet vergat, blaadjes met daarop de tekst: *Eert uw vader en uw moeder, Geef ons heden ons dagelijks brood*. Dat past wel in een bakkerszaak, en op het laatste blaadje *Waar liefde woont gebiedt de Heer zijn zegen*.

Liefde ze fronst haar wenkbrauwen, denkt aan Lieuwe. Na jaren kregen ze gisteren een brief, met daarin een paar zinnen. *Ben getrouwd, kom aan het eind van de maand voorgoed terug naar Holland. Tot ziens, Lieuwe.*

Lieuwe, getrouwd. Het verwonderde haar, maar inwendig deed het haar niets. Lieuwe, die zijn eigen weg was gegaan, zich nooit voor de zaak had ge nteresseerd, hen met al hun zorg liet zitten, zijn rug toekeerde en naar zee ging, en al heeft hij in het begin af en toe wat geld gestuurd, dat neemt niet weg dat Lieuwe voor haar een vreemde is geworden.

En toen Goof de brief gelezen had, was diens commentaar: Zo, dus de vogel is gekortwiekt, knappe vrouw die dat heeft gepresteerd.

Onrust in haar, dat Goof zo reageerde, snibbig viel ze uit: Alles goed en wel, maar hoe moet het nu als dat stel hier straks op de stoep staat? Bij ons in huis, daar begin ik niet aan.

 Hij kan in de nieuwe wijk gaan wonen, opperde Goof. Daar staat nog een aantal huizen leeg.

Koophuizen. Wat denk je dat dat kost?

 Geld, antwoordde Goof. Alles draait om geld, hier en overal.

 Geld, je denkt toch niet dat wij Na jaren van hard werken zijn we eindelijk weer boven Jan, en nu denk je toch niet dat wij Lieuwe...

Goof: Zo denk jij, ja. Ik denk: komt tijd, komt raad, en als het nipt en nog s nipt, ga ik s met onze huisvriend praten.

Huisvriend, Steef Staal, na jaren van samenwerking is er een sterke band tussen hen gegroeid van begrip en wederzijds vertouwen. Soms komt Steef in het vrije weekend bij hen op bezoek, en neemt hij Liefdegeest met zich mee. En waar Liefdegeest gaat, gaat zijn hond, gewassen, gekamd en geschuierd, met zijn kop op zijn poten houdt hij zijn baas in de smiezen, die een partijtje schaak met Goof speelt en het steevast van hem wint.

Waarop Goof reageert: Volgens mij heb jij meer verstand van schaken dan van vrouwen.

En Liefdegeest, met een flauwe glimlach op zijn gelaat, antwoordt: Er ging geen dag voorbij of er werd bij ons thuis een partijtje schaak gespeeld.

Bij ons thuis , die woorden haakten in haar oren. Ons thuis maar waar was Liefdegeest thuis? Een aantal jaren geleden was hij aan het Zandpad neergestreken, en heeft zich nooit vereenzelvigd met de dorpers. Al gaat hij wel goed met ze om en is hij nu ook betalend lid van de vereniging Voor het goede doel . Betalend lid nog wel, en menigeen vraagt zich weer af

En opnieuw stak de roddel de kop weer op, maar sinds kort vinden ze Kobus op hun weg. Kobus, die met een loodzware ziel naar het Zandpad was gereden, en met angst in zijn hart aan Liefdegeest had opgebiecht dat hij al die praatjes had rondgestrooid.

Zo, zo, antwoordde Liefdegeest na een tijdje van pijnlijke stilte. En nu toon je berouw?

Kobus, die het te kwaad had met zichzelf, kon geen woord uitbrengen, knikte slechts.

Dan is het goed, antwoordde Liefdegeest met een brede glimlach. Alles is vergeten en vergeven en we zullen d r een glaasje op drinken.

Dat deden ze. Kobus drie pierenverschrikkertjes, Liefdegeest twee glazen jus d orange. Liefdegeest stak zijn hand uit en zei: Van nu af aan goede vrienden?

Kobus legde zijn hand in die van Liefdegeest, voelde zich duizend pond lichter en zei: Vrienden, voor altijd. Schraapte al zijn moed bij elkaar om te vragen over die bakfiets. Wist Liefdegeest hiervan, of was hij zelf de goede gever?

Liefdegeest scheen die vraag te moeten overpeinzen, zei toen: Soms is het beter te zwijgen dan te praten. Dat deed hij dan ook, diep in gedachten staarde hij voor zich uit, en bleek Kobus vergeten.

Kobus werd er doodnerveus van, hij kwam uit zijn stoel overeind en zei: Dan ga ik maar , en sloop op zijn tenen het huis uit.

Kobus heeft Ant heel het verhaal verteld en eindigde met de woorden:

82

Al kennen we elkaar nu een beetje beter, het is en blijft een wonderlijk heerschap.

En daarin heeft Kobus gelijk. Liefdegeest, al komt hij bij hen over de vloer en schaakt hij Goof van zijn stoel af, je kijkt erop, maar niet erin. En als hij niet schaakt, houdt hij hele palavers tegen Mans over de Romeinen en Grieken, en ze luisteren allemaal mee, en Goof zegt: Vertellen kan-ie.

En Mans beweert: Van wat hij me vertelt, steek ik meer kennis op dan in al mijn schooljaren.

En Steef, hoe denkt hij over Liefdegeest? Hij praat over hem met zekere eerbied, en als vriend.

Ze scheurt het laatste blaadje van de kalender, alweer de dertigste, morgen is het december. De tijd vliegt en een jaar is zo voorbij. December, de feestmaand. Dan draait de bakker overuren met daartussendoor een hazentukje.

Gisteren zei Goof: Zoals het vroeger was, is het allang niet meer, de commercie draait al volop, de bestellingen stromen binnen, en de liefde tot de kerst wordt versmoord in ons hart.

Kerst, het feest van licht en vrede, en dan is Lieuwe hier met zijn vrouw. Ze vraagt zich af wat voor vrouw. Eentje uit het binnenland van Brazili of God weet waar? Zij — Ant — zit er niet op te wachten, en ze vraagt zich af: is de liefde voor haar oudste zoon versmoord in haar hart?

Wat sta jij te dubben?

De stem van Steef, die haar uit haar gedachten rukt. Steef Staal, in de loop der jaren is ze heel anders over hem gaan denken, ziet hem niet meer als een profiteur, maar als de man die werk naar de regio bracht en vele monden voedt, en Goof de helpende hand toestak, al stond daar wel wat tegenover. Goof, zetbaas in eigen zaak, maar toch Als je alles goed bekijkt, hebben ze het geluk mee gehad. Jawel, in de persoon van Steef Staal, die hen aan alle kanten met raad en daad bijstond. Maar Steef zegt: Nonsens, jullie hebben naar mij geluisterd, dat is het.

Maar de laatste tijd heeft ze zichzelf niet meer in de hand, klinkt zijn stem als een streling in haar oor, doet zijn lach haar hart sneller kloppen, raakt ze meer en meer door zijn persoon gecharmeerd. Zij, een vrouw op middelbare leeftijd.

Een zacht spottend lachje. Ben je je tong verloren, je zegt niks? Hij doet een stap naar voren, staat nu dicht bij haar.

Ze haalt een paar maal diep adem en zegt: Ik hoorde je niet binnenkomen.

Ik beloof je dat ik voortaan driemaal zal kloppen, goed, mevrouw?

Een onzekere glimlach beeft in haar mondhoeken. Ach jij, weet je dat Lieuwe thuiskomt?

Hij knikt. Goof vertelde het.

Ook dat-ie getrouwd is?

Ook dat, ja.

Eentje uit het buitenland. We kennen haar niet.

Je zult haar leren kennen.

Een trek van weerzin op haar gezicht. Stroef klinkt het: Ik hoef haar niet te leren kennen.

Kom, kom, Ant, het is je schoondochter.

Voor mij is en blijft ze een vreemde, maar wat kom je hier doen?

De lijsten brengen, wat anders?

Ach ja, die lijsten. Het is haar helemaal ontschoten door dat geprakkiseer over Lieuwe.

Is er al koffie? Ik heb trek in een bakkie.

Als je geduld hebt, ik moet nog zetten. En blijf je staan? Stoelen genoeg.

Hij zit, kijkt haar aan. Voor jou heb ik altijd geduld, dat weet je toch?

Weten? Wat weet ze van hem? Ja, dat hij rijk is en eigenaar van een broodfabriek en sinds kort in het notarishuis woont, samen met zijn vader en een huishoudster: een blonde schoonheid, het aankijken waard, die op zondagmiddag samen met Staal senior over het kerkplein loopt te flaneren, en menig mannenhart sneller doet kloppen. Mans, die per toeval op weg naar huis het stel was tegengekomen, was in n klap de schone deerne op de Eenhoorn vergeten en had zijn mond vol over haar.

Zo n verdomd mooie meid, pa.

Dus dat heb je wel gezien, lachte Goof, maar of ze jou ziet?

En waarom niet? stoof Mans op. Ben ik zo veel minder dan zij?

Nee, ging Goof er ernstig op in. Maar zij zo veel meer dan jij, al komt Steef Staal hier over de vloer.

Mans: Wat, Steef Staal? Ze is daar huishoudster.

Goof, met een zuinig lachje: Zeggen ze, ja. Maar ik heb zo mijn bedenkingen.

En Ant, hoe denkt zij over dat blonde hupsakeetje? Ach wat, hersenspinsels om niks. Straks samen met Steef aan de koffie, daarna hij terug naar de fabriek en zij in de winkel. Als ze langs hem loopt, grijpt hij haar bij de pols, trekt haar naar zich toe.

Luister s, Ant.

Luisteren, ze voelt de druk van zijn vingers, ziet zijn gezicht van dichtbij en haar hart bonst in haar keel.

Ja, wat is er?

Geef je zoon en schoondochter een eerlijke kans.

Dat hij dat zegt, haar hierover op de vingers tikt, daar schrikt ze van, en zegt: Dat je zo over me denkt, daar verschiet ik van.

Ach kom, jij en verschieten, bijna zou ik zeggen: je slechte geweten, maar daar ken ik je te goed voor.

Waarom zeg je het dan? Ze voelt zich danig in haar wiek geschoten.

Voor je de fout in gaat.

Ze kriegelt: Ach, man, je kletst. Lieuwe, tot daaraan toe, maar die vrouw, wat ken ik haar?

Je zult haar leren kennen.

Dat heb je al gezegd.

Dat weet ik, en ook dat je niet op haar zit te wachten.

Precies, en als je nog koffie wilt...

En hij geeft als antwoord: Wet je wat Breeroo zei? t Kan verkeren.

Slaat dat op mij? En wat die Breeroo zei, dat zal me de bout hachelen, en kan ik nu gaan?

Wat had hij dan gedacht? Toen hij over Breeroo begon, zij dat zou begrijpen. Kom nou, Ant, een eenvoudige dorpsvrouw, oprecht eerlijk, intelligent op eigen terrein, maar al wat daarbuiten ligt

Hij laat haar hand los en zegt: Misschien valt het allemaal nog wel mee, wie weet.

Een wantrouwige blik. Denk je? Ik heb er een hard hoofd in.

Hij schiet in de lach. Weet je wat het met jou is, Ant Mandemaker?

Je bent een koppige vrouw, die er een eigen mening op na houdt. Hij laat haar hand los en commandeert meer dan hij zegt: Ga nu maar koffiezetten.

Hij begrijpt het niet, denkt ze, en steekt het gas aan. Hoe zou hij ook, in zijn ogen ben ik de kwaaie pier, word ik als een dienstmeid naar de keuken gestuurd. Als ze het kokende water op de koffie schenkt, biggelen twee hete tranen over haar wangen.

Lieuwe, na jaren weer terug op het honk, en met hem zijn vrouw. En wat voor vrouw, denkt Ant. Klein, slank, donker haar en nog donkerder ogen en niet meer de jongste. In haar jonge jaren een mooie vrouw geweest, maar nu Ja, hoe moet ze dat zeggen een beetje verlept. Heel de familie — op Mans na — zit rond de tafel, en het gesprek onderling vlot niet erg. Af en toe een enkel woordje over en weer, meer niet. Na al die jaren zijn ze van elkaar vervreemd, is het over en weer meer een aftasten naar elkanders gevoelens. Het is ook zo lang geleden dat ze een gezin waren, daar ligt een aantal jaren van verwijdering tussen en dat is zomaar niet overbrugd.

En Lieuwe zelf kent ze ook niet meer terug. Als jonge knaap ging hij naar zee, als volwassen kerel komt hij terug. Groot, grof van bouw, vierkante schouders, felgrijze ogen in een door weer en wind gelooid gezicht, kracht straalt van hem af en als die vrouw naar hem kijkt, leest ze liefde in haar ogen. Die vrouw, haar schoondochter.

Da s Maria, stelde Lieuwe haar voor, en wie jij bent, weet ze al lang.

Hoe kan dat nou? vroeg ze verbouwereerd. Ze kent me niet eens.

Jawel, lachte Lieuwe. Van een foto, en elke avond voor het slapen gaan, ging ze op de knietjes en prevelde haar gebedje, ook voor je vader en moeder , zei ze. Maar wat, dat moet je me niet vragen, Zij is rooms, en naar ik weet wij protestants, al deden we er nooit wat aan. En nu, moeder, is het nog zo? Of ga je wel s naar de kerk?

Ze schrikt, net thuis en hij overvalt haar met die vraag. Zou hij kerks zijn geworden door de invloed van die vrouw? De kerk met het kruisje? Nee, snibde ze. We hadden andere dingen aan ons hoofd dan de kerk.

De bakkerij?

86

Juist ja, maar jij kneep ertussenuit en liet ons met de zorgen zitten.
Ho, ho, moeder, wees eerlijk, ik heb nooit wat met de bakkerij op
gehad, en toen heb ik vader er al voor gewaarschuwd dat-ie niet uit
de bond moest gaan. Alleen doe je niks, met z n allen sta je sterk.
We hebben het gered, ook zonder jou, valt ze kribbig uit. Wat denkt
dat jong wel, net thuis gooit-ie dat voor haar voeten. Komt-ie boven-
dien ook nog met een buitenlandse aanwaaien en nog wel een room-
se, dat is ook iets waar ze aan moet wennen, als het went. Hoe zei
Steef Staal het ook weer? Geef je schoondochter een eerlijke kans.
De schoondochter, die van haar stoel opstaat, haar toelacht met haar
donkere ogen en zegt: Ik koffiezetten?
Onthutst kijkt ze haar aan. Spreek jij Hollands?
Een klein beetje.
Knap, hoor. Dat is Goof. Heeft Lieuwe je dat geleerd?
Ik niet begrijp. Lieuwe? Ze richt vragend haar blik op hem.
Hij slaat zijn arm om haar schouder, knikt haar bemoedigend toe en
zegt: Doe jij je best maar, meid. En tot Ant: Maak jij d r effe weg-
wijs in de keuken, moeder, en koken dat ze kan Enfin, je komt er
nog wel achter.
Zij, alles uit handen geven aan die Maria? Lieuwe moet toch niet denken Lieuwe, die met een spottende glimlach naar haar zit te kijken.
Die snotaap, ze wordt er nerveus van. Resoluut pakt ze Maria bij de
arm en zegt: Ga mee.
Dat los je handig op, zoon, zegt Goof. De vrouwen in de keuken en
wij mannen onder elkaar. Hij schuift hem de tabakspot toe. Hier,
steek een pijp op, een tevreden roker, enfin, je weet het wel, al moppert je moeder over gele aanslag op haar gordijnen.
Hij maakt een afwerend gebaar. Ik rook een sigaret. Zijn vader, een
ouwe pijpieslurker, altijd al geweest.
Stinkstokken, bromt Goof. Je ligt er tien jaar eerder door in je graf.
Lieuwe schiet in de lach. Sigaret of pijp, vader, geen mens gaat voor
zijn tijd, en vertel s, hoe staan de zaken ervoor?
Vader, ondanks hun geharrewar kan hij beter met hem opschieten dan
met zijn moeder, dat was vroeger al en dat zal nu nog wel zo zijn.
Vader is kort voor de kop, maar moeder scherp als een scheermes.
De zaken? Goof zuigt aan zijn pijp, kijkt peinzend naar zijn zoon,

Lieuwe, terug op het nest. Lieuwe, een boom van een kerel, waar je niet omheen kunt.

De zaken, ja. Lieuwe, die aandringt. Vader, hij moet de woorden uit zijn mond trekken. Dat was vroeger anders, toen kletste hij je van de stoel af.

De zaken... peinst Goof hardop, en hij denkt: zal Ant het goed vinden als ik daar met Lieuwe over praat? Eerst deelde hij haar mening omtrent Lieuwe. En nu? Potdomme, wat is dat nou? Lieuwe is toch hun zoon? Lieuwe, die heel in het begin van zijn zeevaart hun toch geld stuurde, en dat schijnt Ant weleens te vergeten. En hij zegt: Het viel bij lange na niet mee, jongen. Harde jaren, maar met steun van Steef Staal zijn we er weer bovenop gekomen, en is de zaak nog altijd ons eigendom.

Verwondering. Verhip, hoe heb je dat gefikst?

Ik heb jaren op de broodfabriek gewerkt en je moeder stond achter de toonbank.

Aha, ik begrijp het. Steef Staal kocht jouw omzet op en jij werd een kouwe bakker met een eigen zaak en verkocht zijn fabrieksbrood. Uitgekookte bliksem, die Staal.

Je moeder verkocht het brood, pareert hij. Niet ik. Ik werkte in de fabriek, en kwat niet zo op Steef Staal.

Wat dan, zie hem als de patroonheilige van de bakkersgilde? Steef Staal, flauw kan hij hem voor de geest halen: een lange, ernstige knul achter het stuur van zijn dure sportwagen en directeur-eigenaar van een broodfabriek, die aan de rand van het dorp uit de grond werd gestampt. Wat kletst pa nu? Die steekt de loftrompet voor Staal, en werpt hem lauwerkransen toe. Steef Staal, die de fabrieksdeuren wagenwijd openzette, en zei: Wie werken wil, is welkom, dwingen doe ik niemand. Ze kwamen, en nu kan Steef Staal geen kwaad meer doen.

En de bakkers, pa, waren ze ook zo verguld met hem? Naar wat ik me herinner, waren er hier vier.

Met Eef Dompers vijf, maar een kouwe bakker, dat wel.

En jijzelf, pa?

Ai, daar wordt een gevoelige snaar geraakt, pijn vlamt door zijn wezen, en het beeld van Steef op zijn netvlies. Steef, die hem een krediet verstrekte, zodat hij zijn schulden af kon lossen, onder Steefs strenge voorwaarde dat wel jaren van hard werken volgden waarin het leek alsof de nacht geen dag werd. Maar ze hebben het gered, en als je erop doordenkt, is met hulp van Steef Staal de boel weer losgetrokken en is de zaak behouden. Al heeft dit alles Steef geen windeieren gelegd, maar of hij er veel wijzer door is geworden, daar laat hij zich niet over uit.

Nou, pa, vertel s. Lieuwe, die aandringt.

Hij vertelt, maar verzwijgt nog meer, en dat hij zijn hoop op Mans heeft gericht, houdt hij voor zichzelf. Mans, die s morgens fluitend naar zijn werk gaat en s avonds fluitend terugkomt. Mans, die het op de fabriek best naar zijn zin heeft en zegt: Beter knecht dan baas, en de zorgen zijn voor een ander.

En Lieuwe zegt: Ik hoor het al, Steef Staal, de weldoener, hoe kan ik dat vergeten?

Verdomme, waarom hamert Lieuwe er zo op door, jaren niks van zich laten horen en nu een en al cynisme. Plotseling rood van opwinding springt hij met een snauw overeind. Waarom al die minachting voor iemand die je nauwelijks kent? En waar was je toen wij je nodig hadden? Geef daar s antwoord op.

Ja, wat moet hij daarop zeggen? Het is pa s goed recht hem dat voor de voeten te gooien. Medelijden beweegt hem, pa is een oude man geworden, grijs als een duif, diep gebogen in de schouders.

Goof valt op zijn stoel terug, legt zijn pijp in de asbak, wrijft door zijn spaarzame haren en zegt: Alsjeblieft, laten we erover ophouden na al die jaren van verwijdering. Misschien beoordelen we elkaar wel verkeerd. Wat ben je van plan? Blijf je hier of ga je weer de vaart op.

Varen? Hij schudt zijn hoofd. Niet meer, na al die lucht en dat water heb ik er genoeg van. Ik blijf voorgoed aan de wal.

En je vrouw?

Ant, die hun schoondochter koeltjes en met een achterdochtig gezicht heeft ontvangen, nu kakelt ze honderduit in de keuken, maar of Maria het verstaat? Af en toe gooit ze er een krom uitgesproken Hollands woord tussendoor en Lieuwe, die het ook hoort, zegt met een fijn lachje: Waar de man is, is de vrouw, zo is het toch, h pa?

Ja, zo is dat, in voor- en tegenspoed, en Ant is in de moeilijke jaren ook bij hem — Goof — gebleven. Ant, ze heeft een dwepende verering voor Steef Staal, en hij heeft weleens gedacht: als ze een tiental jaren jonger was, wist ik het zo net nog niet. Wat kletst Lieuwe nu?

Maria en ik blijven hier in het dorp wonen.

Hij denkt aan Ant en vraagt aarzelend: Waar dacht je te gaan wonen, ons huis is niet zo groot.

Lieuwe: Stil maar, ik begrijp het wel moeder. Maar zal ik jou s wat verklappen, pa? Ik koop een huis in de nieuwe wijk. Prachthuizen met een lappie grond erbij.

Eerst van dattum. Goof schuift met duim en wijsvinger.

Maak je geen zorgen, pa, ik heb jaren gespaard. Maria heeft ook nog wat in de knip en wat werken betreft, ik heb twee rechterhanden, wie weet een baantje in de broodfabriek?

Zo, zo, dus Lieuwe heeft zijn centjes niet over de balk gegooid. Hij heeft gespaard en Maria heeft ook nog een roestige stuiver. Maria, ze draagt een gouden kruisje om haar hals en lange gouden oorbellen, die glinsteren bij iedere beweging van haar hoofd, en een gouden armband om haar pols, maar een trouwring? Lieuwe draagt wel een trouwring aan zijn linkerhand, is hij katholiek voor haar geworden? Plotseling valt uit zijn mond: Je komt uit een protestants nest en draagt je trouwring over links?

Lieuwe, onthutst: Wat krijgen we nou? Protestant? Loop heen. Het is dat je me het zegt, en de kerk is me vreemd, en wat die ring betreft, ik werkte aan boord in de machinekamer, en dan je ring over rechts dragen, da s gevaarlijk, vandaar.

En Maria?

Maria? Hij grinnikt. Ze is soms roomser dan de paus.

Vertel me s wat over Maria.

Vertellen? Wat valt er over haar te vertellen? Ze is je schoondochter, pa. Klaar, uit.

Da s geen antwoord. Je weet bliksemsgoed hoe ik het bedoel, Lieuwe. Inderdaad, ze is mijn schoondochter en jouw vrouw, maar zoals je nu praat, klink je als een grote lomperik.

Hij buigt zijn hoofd, voelt zich betrapt in zijn geheimste gedachten, trekt met de nagel van zijn wijsvinger lijntjes in het pluche tafelkleed. Tegenover hem zit zijn vader. Doch hij ziet hem niet, zinkt weg in

90

eigen gedachten, die om Maria draaien. Maria, een verhaal apart.

In die tijd voer hij op een vrachtvaarder. Na een maand op zee voeren ze de haven van Rio binnen. Na het lossen van de vracht ging eenieder onder de douche, daarna aan tafel, eetlust was er genoeg en de maaltijd voortreffelijk, en een hoeraatje voor de kok. Daarna werd er in de lounge nog wat nagepraat en stelde Kram, de derde machinist, tussen twee glazen wijn door voor om met z n allen de wal op te gaan om hun zeebenen eens te strekken. De anderen stemden ermee in, na een tijd op zee wil je wel weer eens een mooie vrouw zien.

Dat wordt kroegen lopen, dacht Lieuwe, vooral met Kram erbij. Hij liep niet hoog met die man, onder de kornuiten een averechtse makker. Een por tegen zijn schouder, Giel Blom, de leerling-marconist.

Lieuwe, je blijft altijd aan boord, wees voor deze keer s geen spelbreker, en ga mee.

Juist, in welke haven ook, hij bleef aan boord. Spaarde zijn geld op voor later, als de zin van varen eraf ging en hij zich weer voorgoed aan de wal zou vestigen. Dat later kwam eerder dan hij had verwacht, in de persoon van Maria.

Enfin, ondanks tegenzin ging hij mee, en het verliep precies zoals hij dacht. Kroeg in, kroeg uit, bluf en grootpraat met dubbelslaande tong, en zinloos geklets over en weer. Giel Blom, lichtelijk aangeschoten, deelde hen mee dat hij na deze reis weer thuis aan wal zou gaan en, na twee jaar verloofd te zijn geweest, ging trouwen.

Verbazing en geroep rondom.

Dus je wordt kapitein op je huwelijksbootje?

Da s de laatste jongensstreek die je kunt uithalen.

Kram voerde het hoogste woord. Trouwen? Mij niet gezien, ik koop het vlees wel per pond. Trouwen, weet je wat dat betekent, Blom? Dat je je vrijheid prijsgeeft en gekooid wordt en al je idealen in rook op ziet gaan. En dat verdom ik eeuwig.

Stomme verbazing, zo n praat hadden ze nog nooit gehoord, en Giel Blom, gegriefd tot in het diepst van zijn ziel, zei in het algemeen, maar vooral tegen Kram: Bah, wat een misselijke vuilpraat, als ik me gemoed te werk ging, verkocht ik je een optater dat je voor pampus lag.

Kom maar op! schreeuwde Kram, met rode neus en gebalde vuisten. Ik lust je rauw.

Geschreeuw, gebl r, geschamper van alle kanten en in dat tumult komt Maria binnen met in haar hand een collectebus. Ze kijkt rond in de gelagkamer en het suizelend lamplicht druipt over haar slanke gestalte en in de vervagende schaduwen langs de wand.

Stilte onder de mannen. Onthutst kijken ze naar die kleine, slanke vrouw in haar witbestikte blouse en roodgerande rok, en de eerste die zijn tong terugvindt, is Kram.

Hij zucht eens diep en zegt: Zo n vlo tussen je lakens...

De kastelein zegt heel iets anders.

 Heren, mag ik u even voorstellen? Maria Dolores Perrez, ze loopt collecte voor de allerarmste kinderen, die hun kostje bij elkaar scharrelen op straat en op de vuilnisbelt.

Alle mannen zwichten voor wat hun wordt verteld, maar het meest voor de mooie kijkers van Maria, en ze geven gul en veel, zelfs Kram leegt de overgebleven inhoud van zijn portemonnee in de collectebus. En ook Lieuwe raakt onder de indruk van haar verschijning, en dat verwondert hem. Hij, die in vele landen zoveel mooie meiden had gezien en alle kansen had gekregen, waar hij nooit behoefte toe had gevoeld, en nu over de dertig en nog steeds vrijgezel. Dat veranderde na die avond, toen hij in de mooie ogen van Maria keek, en tot zijn eigen verbazing zei hij: Wanneer zie ik je weer?

Haar antwoord: Wanneer je maar wilt.

Hij wilde maar al te graag, en Giel Blom voorspelde: Jij gaat voor de bijl, vader.

Giel kreeg gelijk, binnen drie maanden was hij met Maria getrouwd, zonder iets te vragen of te willen weten over haar verleden. Tot op een avond, nadat hij met haar de liefde had bedreven en ze uiterst voldaan naast elkaar in bed lagen, ze er zelf over begon.

 Luister, Lieuwe, al wil je het niet weten, ik wil dat je het weet. Ik ben...

Bot viel hij haar in de rede: Wat niet weet, dat niet deert, en zo wil ik het houden.

Want diep in zijn hart was hij bang dat als ze ging praten, de liefde zich tegen hem zou keren. Want er liggen oorzaken en gevolgen in het verleden van een mens, waar je met al kracht niet tegenop kunt, en die

92

ongrijpbaar worden als wazige schimmen. Toch, op een of andere manier kwam alsnog Maria s verleden aan het licht.

Maria was getrouwd, maar haar man interesseerde zich meer voor drinken en gokken dan voor zijn eigen vrouw en ze kreeg meer slaag dan liefde. Tot hij op een dag in haar schoonheid zijn inkomsten zag en haar dwong tot prostitutie. Maar de kruik gaat zo lang te water tot hij barst en op een dag sloegen bij Maria alle stoppen door. Ze greep een mes en stak haar man neer. Gevolg: hij naar het ziekenhuis, waar hij na een maand werd ontslagen, en Maria wegens lichamelijk geweld veroordeeld tot een halfjaar gevangenisstraf. Nadat ze haar straf had uitgezeten, vroeg ze echtscheiding aan. Haar eega wilde er niets van horen en eiste smartengeld. Pas toen ze bereid was tot op de laatste cent te betalen, ging hij met de scheiding akkoord.

Maria ging werken in een snackbar en kwam op een dag in contact met zuster Theodora, een eerwaardig lid van de congregatie het Heilig Hart, die zich inzette voor de allerarmsten. Maria, van prostituee tot volgeling van zuster Theodora.

Zou zijn vader het begrijpen, als hij aan hem heel Maria s verleden blootlegde? Vader, veel gemoedelijker dan moeder, maar vastgeroest in de dorpse gewoontes en al wat er in de wereld gebeurt, ziet hij op de tv of heeft het van horen zeggen. En moeder, zij is nooit een makkelijke tante geweest en heeft over alles haar eigen mening.

Is het zo moeilijk daarover te praten, mijn zoon?

De stem van zijn vader. Vooruit dan maar, beter erover te praten dan het te verzwijgen, en hij zegt: Zoiets als sociaal werk.

Aha, reageert Goof. Iemand die zich voor zijn medemens inzet, da s een nobel streven. En hij denkt daarbij aan Steef Staal.

En hoe, zegt Lieuwe en draait er niet omheen maar overweegt wel zijn woorden en Goof luistert met beide oren open, maar als het woord prostituee valt, houdt hij even de adem in.

Dat wat Lieuwe nu zegt moet hij toch even verwerken, en na een korte stilte zegt hij: Maria, in de voetsporen van Maria Magdalena?

H ? zegt Lieuwe vol verbazing? Over wie heb je het nu?

Goof, nog steeds bezig te verwerken wat Lieuwe hem over Maria zei, schudt nog steeds onthutst zijn hoofd en zegt: Vraag dat maar aan je vrouw. Maar doe me een lol, houd voorlopig je mond hierover tegen je moeder.

Ja, vertel hem wat Moeder, zodra hij een stap over de drempel zette, moest hij al genoeg horen, en dat bij het eerste weerzien sinds jaren.

Ant, ze komt de kamer binnen, op de voet gevolgd door Maria, en Lieuwe zegt in zijn handen wrijvend: Mmm, lekker, koffie, gezet op z n Braziliaans.

Ant, met een zuinig mondje: Da s het minste wat een vrouw moet kennen.

De hoon gaat langs Maria, ze schuift Goof zijn koffie toe en zegt: Lekker, padre.

Maria, de donkere ogen waarin die lieve glimlach, de rode lippen, het kruisje om haar hals, hij vangt het allemaal in een vertwijfeld ogenblik. Maria, een gewezen prostituee, Maria, zijn schoondochter. Nee, kreunt het in hem. Zo mag je niet denken. Maria, de vrouw van Lieuwe, en niet anders. Schuldbewust kijkt hij naar haar op en zegt: Dank je, kind.

Lieuwe, die de steek onder water voor Maria wel degelijk voelt, slaat een norse blik op Ant en zegt: Geen koek bij de koffie, moeder, en dat met een eigen bakkerij?

Alsof ze een klap in haar gezicht krijgt, snibt ze: Da s niet mooi van je, Lieuwe, je moet s weten wanneer je praten of zwijgen moet.

Hij haalt zijn schouders op. Da s wederkerig, moeder. Maar de verbijstering op haar gelaat ziend, slaat hij zijn arm om haar schouder en zegt: Kom op, moeder, ik zeg maar zo: over beide kanten leven en laten leven, en al die oude grieven tegen elkaar vegen we onder het vloerkleed. Lijkt je dat beter?

Verrast kijkt ze hem aan. Lieuwe, niet vervuld van zelfbeklag. Lieuwe, die toen zij het zo moeilijk hadden, hen verliet, zijn eigen weg ging, wat zij — Ant — voelde als verraad jegens hen, en van die dag af was er voor haar maar n: Mans. Nu is Lieuwe terug op het ouderlijk nest, met vrouw nog wel, en voor het eerst vraagt ze zich af: heeft ze haar oudste zoon dan toch verkeerd ingeschat? Wat stroef geeft ze toe: Je spreekt wel klare taal. Enfin, we zullen proberen ons daaraan te houden. Drink je bakkie uit, en misschien is er nog wel een allerhandje.

94

En alsof het zo moet zijn, wie stapt daar binnen? Steef Staal.

Jij? zegt Ant verrast, voelt dat ze kleurt.

Zoals je ziet, lacht hij en wat hij nooit doet, doet hij nu. Hij kwam achterom de bakkerij binnen, ving flarden van het gesprek op en denkt: het zint haar niet. Snel flitst zijn blik over de aanwezigen. Goof, Ant, Lieuwe, je mag wel stellen de verloren zoon, en diens vrouw, donker van uiterlijk en het aankijken waard. En hij zegt tegen Goof: Dus dat is je zoon?

Ja, antwoordt Goof met iets van trots. Da s onze Lieuwe, terug na jaren.

En da s zijn vrouw, wijst Ant. Ze komt uit ja, waar komt ze vandaan?

Brazili of Peru, lacht Steef, reikt Maria de hand en zegt: Welkom in Holland. En hij denkt: da s een vrouw waar een kerel voor valt, en die kerel is Lieuwe. Ze staan tegenover elkaar, schatten elkaar naar waarde in en Steef speelt met de gedachten: dat is er een waar je beter mee kunt eten dan vechten.

En Lieuwe denkt: dus dat is de bewuste Steef Staal, de man die hier in het dorp een nieuwe welvaart bracht, wat hem niet door iedereen in dank is afgenomen. Lieuwe stelt zich aan hem voor en zegt met een hoofdknik richting Goof: Ik heb al het een en ander over je gehoord.

Als het maar geen kwaad is.

Lieuwe schiet in de lach. Laten we zeggen, half om half.

En Steef lacht met hem mee, die Lieuwe lijkt hem geen kwaaie vent. Hij polst: Voorgoed terug?

Dat is wel de bedoeling, gaat Lieuwe erop in. En als jij een baantje voor me hebt, is de zaak rond. Zeg het maar eerlijk: maak ik een kans, of niet? Zo, het is gezegd, en nu maar afwachten hoe meneer de directeur erop reageert.

Meneer de directeur zegt voorlopig niks, hij heeft het wel goed gezien. Lieuwe Mandemaker is een mannetje dat er niet omheen draait, pats-boem met de deur in huis valt.

Ant zegt des te meer, ze voelt zich beschaamd dat Lieuwe zo praat en ge rriteerd valt ze uit: Toe, toe, is dat nog praat?

Lieuwe, grimmig: Hou je erbuiten, moeder, ik heb het tegen hem.

Goof, doodnerveus, doet een greep naar zijn pijp. Lieuwe, als vanouds kort door de bocht, dat was vroeger, dat is nog zo. Maar na alles wat hij hem over Steef Staal heeft toevertrouwd, worstelt hij ook met een gevoel alsof Lieuwe met die woorden een wraak roepende zonde over hen afroept, en hij zegt: Je moeder heeft gelijk, da s geen praat. Maar die hem reageert heel anders dan de Mandemakertjes denken. Hij haalt een paar maal zijn vingers door zijn weerbarstige pruik, gaat erbij zitten en zegt op een gemoedelijk toontje: Zo, eerst een bakkie, dan praten we verder.

Niet Ant, maar Maria kwijt zich van die taak, reikt hem een dampend kopje koffie aan met een verblindende tandenlach en hij denkt: die Lieuwe had zijn ogen ook niet in zijn zak. Zijn blik schiet onderuit naar Lieuwe, die er zo lomp mee aankomt, maar hij heeft meer vertrouwen in die knul dan in zijn bloedeigen vader. De man laat zich weer door Brakel gek praten en speculeert weer volop op de beurs.

Tja, zegt hij en hij zet de lege kom terug op de tafel. Een baantje zeg je. Misschien in de bakkerij, daar kunnen ze nog een mannetje gebruiken.

Wat? De bakkerij? Ammenooitniet, dan was ik hier niet weggegaan.

Peinzend glijdt zijn blik over de grove, bonkige gestalte. Zie hem daar staan, die lomperik, en zijn mooie wijffie dat in adoratie naar hem opkijkt, alleen voor haar zou je het doen, en hij zegt: Je draait er niet omheen, makker.

Een grijns van oor tot oor. Da s mijn stijl niet, en naar wat ik hoor de jouwe net zomin.

Je, jij en jou, van een ander zou hij het niet pikken, maar van Lieuwe Mandemaker Hij heeft het gevoel alsof hij hem al jaren kent en hij denkt aan Arie Slinger, een van de vele chauffeurs. Arie is diabeet en klaagt zijn leed. Die rotsuiker werkt op mijn ogen. Als je een ander baantje voor me hebt, Steef...

Hij begreep dat Arie zo vlug mogelijk achter het stuur vandaan moest en achter de koffiemachine in de kantine, voor er ongelukken gebeuren. En Lieuwe Mandemaker, die beer van een vent? Hij vraagt: Heb je een rijbewijs?

Vanaf mijn achttiende, en voor die tijd reed ik op het vrachtwagentje van Hein Boekel.

Vanzelf, dat is Lieuwe Mandemaker ten voeten uit, en hij zegt: Jij durft, als ze je gepakt hadden, was je zuur geweest.

Dat was toen, nu zal ik het niet meer in mijn kop halen.

Da s je geraden, antwoordt hij stroef. Als je ervoor voelt, kun je morgen als chauffeur beginnen.

Net als Mans?

Hij knikt. Net als Mans. Mans, op vleugelen der liefde, die geregeld zijn neus stoot. Mans en zijn broer, dag en nacht verschil.

Wat schuift het?

Hij, bedaard: Hetzelfde loon als iedere andere chauffeur. En denkt aan Mans. Mans, die zegt: Vergeleken bij anderen heb ik een goed loon, al kan ik er geen bokkensprongen mee maken.

Dus als ik goed begrijp, verdien ik op de zeevaart meer. Dat is Lieuwe.

Hij knikt. Dat heb je goed begrepen, Lieuwe Mandemaker. Maar als je weer naar zee wilt, ik houd je niet tegen.

Hij overweegt het een tegen het ander, kijkt in Maria s mooie ogen, die als een kind zo blij is met het vooruitzicht van een lappie grond achter het huis, dan kan ze bloemen gaan telen, en hij zegt: Dan blijf ik liever an de wal.

Steef futselt een pakje sigaretten uit zijn jaszak, houdt het Lieuwe voor. Hier, neem er een.

En Lieuwe vraagt: Wanneer kan ik beginnen?

Wanneer je maar wilt.

Dan zie je me morgen.

Da s kordaat gesproken. Enfin, ik houd ook van doorpakken. En Maria, schenk jij me nog een kopje koffie in?

Maria, een tikkeltje onderdanig: Jawel, meneer.

Dan, geheel onverwachts, valt Ant tegen Maria uit. Je hoeft je niet zo onderdanig op te stellen tegenover de baas van je man. Jawel, je man, hoor je? En met een ruk draait ze zich om, loopt naar de keuken. Ze hoeven de tranen in haar ogen niet te zien.

HOOFDSTUK 7

Maria tilt haar rokken wat hoger op en scharrelt op kousenvoeten door de etalage. Van haar komt het plan de zaak wat op te fleuren bij het naderen van de kerstdagen en daarin deelt Lieuwe haar mening. Ant is er wat minder enthousiast over, al die rompslomp, vroeger ja, maar nu?

De zaak draait nog, maar in de bakkerij doemt de stilte en als ze tegen Goof daarover begint, is het van: Zoals het eens was, wordt het niet meer, dat zei je eens tegen mij, nu zeg ik het tegen jou. En wees eerlijk, Ant, aan Steef Staal hebben we geen kwaaie, en Lieuwe en Mans denken er net zo over.

Zo is dat. Lieuwe, Mans en heel het fabriekspersoneel, hij lacht en schertst met hen, komt hen zo veel mogelijk tegemoet. Maar heeft hij zijn eigen beslissing genomen, dan duldt hij van niemand tegenspraak, zal het gaan zoals hij het wil en voelt het volk achter de vriendelijke fa ade zijn overmacht. Dan trekken ze zich terug op eigen basis en gaan zwijgend aan het werk. Ook Lieuwe en Mans, beiden chauffeur-bezorger op een broodbus, en ze geeft het eerlijk toe: brood van goede kwaliteit, maar toen Goof zelf nog bakte Maar die wuift het van de hand en zegt: Luister s, Ant, de bakkers daar verstaan ook hun vak.

Nu haken haar gedachten aan Mans. Mans, de laatste tijd op vrijersvoeten, hij scharrelt nu een beetje met hun buurmeisje Alie. En Aai, in zijn hart heeft hij daar altijd op gehoopt, en hij houdt het vuurtje wel warm. Maar Mans, met de meerdere blauwtjes in zijn achterhoofd, heeft niet zo n haast.

En Lieuwe heeft er uitbundig plezier om, hij slaat Mans op de schouder en zegt: Hap toe, man, enig dochter met in haar kielzog een graanmaalderij. Je kossie is gekocht.

Mans, diep beledigd: En jij en Maria dan?

Lieuwe grijnst: Die had gen kapitaal an d r rokken hangen.

Mans: En toch ben je met haar getrouwd.

Lieuwe, met donkere stem: Dat lag anders.

Mans: Hoe dan?

Lieuwe: Als de tijd daar is, praat ik er wel s met je over.

En zij, Ant, dacht: houdt Lieuwe wat Maria betreft iets achter..? Maar wat dan?

Lieuwe en Maria hebben een huis gekocht in de nieuwe wijk en wonen daar met veel plezier. Maria teelt volop bloemen op het stukje grond dat achter hun huis ligt, die ze plukt en in bossen bindt en aan huis verkoopt, en Goof is van mening: Mijn petje af voor die meid, ze weet van aanpakken.

Ant gaat in die bewondering niet mee, maar het steekt haar wel, en sinds kort heeft Maria een ventvergunning, door tussenkomst van — ja, wie dacht je? Juist, Steef Staal. Steef, beste maatjes met de burgemeester, notabelen onder elkaar, dan weet je het wel. Nu staat Maria op woensdag met een bloemenstalletje op de markt. Maria, altijd een blijde lach voor iedereen, en Lieuwe zegt niet zonder trots: Ze heeft het in haar vingers, en als het zo doorgaat, doeken we dat stalletje op en huren die bloemenwinkel op het Kerkplein.

Zij, Ant, in eigen zwakheid en jaloerse woede: Welja, doe maar groot.

Lieuwe, fronsend: Groot, hoe bedoel je, moeder?

Zij vinnig: Gewoon, zoals ik het zeg, jij en je vrouw zijn amper een jaar in Holland en nu al verblind door een welvaartsdroom.

Een wat? Lieuwe, rustig en vrolijk met een halve lach: Daar zeg je zo wat, een welvaartsdroom. Ik geef toe, het is de moeite van het proberen waard. En lukt het niet, geen nood, gaan we weer terug naar het bloemenstalletje op de markt.

We, we, werpt ze hatelijk tegen. Zij, niet jij, jij bent in loondienst bij Staal.

Als we dat kerstboompje daar neerzetten? Maria wijst in de hoek van de etalage. Lijkt u dat wat, madre?

Maria met haar madre, ze krijgt er wat van. Ant kan er maar niet aan wennen. Waarom geen moeder, zoals Mans en Lieuwe, en ze valt daarover tegen hem uit. Madre, madre en nog s madre, het gaat op m n zenuwen werken.

O, is dat het? lacht Lieuwe. Daar moet je maar aan wennen.

Wennen? stuift ze op. Zij moet wennen, moeder ben ik, hoor je? Moeder voor jou, voor Mans, voor haar, en dat madre wil ik niet meer horen.

Lieuwe, rustig: Om je daar nu druk over te maken, heus, dat komt wel goed. Gewoon, het heeft even tijd nodig.

Is dat zo, zoals Lieuwe zegt? Maria Woensdag in het bloemenstalletje op de markt en zaterdag bij haar achter de toonbank. Ze helpt de klanten vlot en vriendelijk en koeterwaalt al een aardig woordje Hollands, al gaat het soms wat scheef en krom. Maria, met een blos van verlegenheid op haar wangen, excuseert zich: Hollands heel moeilijk voor mij.

De klanten lachen naar haar en stellen haar gerust. Volhouden, Maria, je komt er wel.

Juist, Maria, ze komt er wel, maar Ant heeft er nog steeds moeite mee. Lieuwe met die buitenlandse vrouw, alsof er geen Hollandse meiden zijn.

En Mans, luid lachend: Je moet het zo zien, moeder, wat je van ver haalt, is lekker.

En Goof, op de hand van Mans, voegt eraan toe: Denk toch s door, Ant. Jaren voer hij op de havens van Zuid-Amerika, dan is het niet te verwonderen dat hij met zo n vrouw komt aanzetten.

Nee, dat is niet te verwonderen, maar dat hij met haar getrouwd is zonder dat zij het wisten, daar verwondert ze zich nog iedere dag over. Met gramschap, dat wel.

Madre, zeg het eens. Maria, op kousenvoeten in de etalage. In haar haren glanst het neonlicht en het fonkelt in haar donkere ogen. Maria, de klanten adoreren haar en als ze een enkel keertje op zaterdag niet achter de toonbank staat, is het al gauw van: Vreemd, hoor, je schoondochter niet achter de toonbank.

Maria, met het kerstboompje in haar handen, dringt opnieuw aan, en Ant, op wat stroef-vriendelijke toon: Wiens plan was het? Het jouwe, niet het mijne.

Maria leunt wat timide tegen de etalagewand. Als haar schoonmoeder zo kortaf is, kan ze wel huilen. Voelt ze zich eenzamer dan ooit. Ze is bereid Lieuwes moeder lief te hebben, maar vanaf het moment waarop ze hier een voet over de drempel zette, kwam haar de hardheid tegemoet uit die stroef-vriendelijke woorden. Daarom is ze blij dat ze in de nieuwe wijk woont. Lieuwes vader heeft hen al driemaal opgezocht. Lieuwe duwt hem dan in de rieten stoel, schuift hem voor het raam en zegt: Neem er je gemak van, pa. En zij zet koffie, Braziliaanse koffie, die vader Goof met smaak drinkt, waarna hij haar prijst en zegt: Het vloeit als een lafenis door het keeltje. Maar Lieuwes moeder hebben ze nog niet bij hen thuis gezien. Ze gooit het op: Ik heb geen tijd, het huishouden, de winkel, al die lijsten invullen, ik sta voor alles alleen en ben ook geen achttien meer.

Maria voelde die klacht als een stil verwijt en nam haar besluit. Woensdag op de markt en zaterdag in de winkel. Lieuwe was het daar niet mee eens en zei: Bezint voor je begint, mijn moeder is lang geen makkelijke tante.

En vader Goof voegde er gemoedelijk aan toe: Het hoeft niet voor niks, kind.

Nors viel Lieuwe uit: Geen zoete broodjes, pa. Je weet wel beter, moe is een harde, ze moet aan de situatie wennen, dat heeft zijn tijd nodig.

Zo praat Lieuwe, maar hij heeft makkelijk praten. Hij is van acht tot vijf van huis en Maria bezeert zich elke dag opnieuw aan de stroefheid van haar schoonmoeder, en als ze na lang aarzelen daarover tegen Lieuwe begint, gaat hij er met een luchtig toontje tegen in.

Ach, meid, je tilt er te zwaar aan. Gun r nog een beetje tijd.

Ze sputtert tegen: Nog altijd, na bijna een jaar?

Lieuwe, onverschillig: Vrouwen, ze hebben altijd wat op elkaar te vitten.

En mannen niet minder, valt ze boos uit, met het gevoel alsof Lieuwe haar in de steek liet.

Lieuwe schiet in de lach, trekt haar naar zich toe, geeft haar een klapzoen op iedere wang en zegt: Zo denk ik erover.

Blijf je zo staan?

Ants stem, koud als een vrieswind.

Maar dat kerstboompje... aarzelt Maria. Waar moet het staan?

Ach, ik ben ook net gek! foetert Ant. Dat ik met die kolder meega. Vroeger hier en daar een kerstbal, en dat was het, en nu een boom in de etalage.

Een klein boompje... werpt ze tegen. En Lieuwe zegt ook...

Die zegt wel meer wat. Lieuwe, wat voor idee n spoken er nu weer door zijn hoofd, die bloemenwinkel op het Kerkplein. Je vraagt je

101

toch af   Daar, wijst ze.   Zet het daar maar neer.

Maria trekt haar rokken wat hoger, stapt op haar tenen door de etalage, en Kobus, net op weg voor zijn roggebroodje, houdt zijn stap in en blijft verrast staan. Zelden heeft hij zoiets moois gezien in de etalage van Mandemaker als de slanke, welgevormde kuiten van Maria, en om zo lang mogelijk van dat schouwspel te genieten dribbelt hij vlug naar voren en verschuilt zich achter een boom. Maar juist dat verraadt hem, want Ant trekt de winkeldeur open en roept luid: Kun je het zien, Kobus?!

Kobus houdt zich van de domme, steekt het plein over, loopt de winkel binnen en met een zijdelingse blik in de etalage, waar Maria met een kop als vuur de rokken laat zakken, zegt hij heel onschuldig: Hoe bedoel je?

Ja, ja, houd je maar van de domme. Dat is Ant, ze schiet achter de toonbank: Een roggebroodje, Kobus?

En een rol beschuit. Hij kijkt naar Maria, ze staat met een streng engelenhaar in haar handen, en hij als vrijgezel voelt opeens de naderende eenzaamheid van de kerstdagen, en dat al jaar in, jaar uit. Nee, dan Lieuwe Mandemaker, die geluksvogel, die komt me toch met een vrouwtje aanzetten. En wat voor een, je zou je ziel en zaligheid eraan verliezen. Hij zucht eens diep, werpt een mistroostige blik uit het raam en worstelt met een gevoel alsof hij wel kan huilen en zegt: Als vrijgezel, kerst vieren in je eentje, daar is niet veel aan.

Maria, met een glimlacht: Toe, toe, Kobus, je doet alsof heel de wereld je dwarszit, en zo slecht heb je het toch niet?

Kobus schudt heftig zijn hoofd. Slecht hoor je mij niet zegen, eenzaam, dat wel.

Man, doe niet zo zielig. Ant, die er een woordje tussendoor gooit. Hierin ben je enige.

Hij stuift op. Dat hoef je mij niet te vertellen.

Wat zeur je dan? Hier, je brood en beschuit, da s n vijfentwintig. En as je omhoog zit, zoek een vrouw.

Een vrouw? Hij kijkt haar aan alsof hij water ziet branden en zegt, denkend aan zijn leeftijd: Ik ben geen achttien meer, al voel ik me nog te jong om mijn doodshemd te bestellen.

Ant, vinnig: Dan moet je niet zo zeuren. Kobus, al jaren een vaste

102

klant, dan kan je elkaar wel wat zeggen.

Maria denkt heel anders. Kobus, de glazenwasser, met bakfiets en ladder, alle dagen eropuit. Kobus, hij hoort bij de dorpsfiguren, en ze zegt: Kom een van de kerstdagen maar een kopje thee bij ons halen. Kobus ogen lichten op als hij naar Maria kijkt, bestaat er wel een liever wezen op aarde dan zij? En hij zegt verheugd: Potverdrie, meid, dat knoop ik in mijn oren. Tweede kerstdag kom ik om drie uur op de thee. Hij pakt zijn brood en beschuit van de toonbank en loopt fluitend de winkel uit.

Je had wijzer moeten zijn, bromt Ant. Leer mij Kobus kennen, als je hem aanhaalt, krijg je hem over de vloer.

Het ligt op haar tong te zeggen: U denkt ook niet vriendelijke over uw klantjes , maar Maria zegt: Ach, die ene keer.

Ant: Ik help het je wensen. Ze schuift het geld in de la, en met een blik op de kerkklok, waarvan de wijzers nooit liegen: Als je nog wat aan de etalage wilt doen; over een halfuurtje loopt de winkel vol. En wat vinniger: Hang dat engelenhaar in de boom en schiet een beetje op.

En ze denkt aan Lieuwe, die vol enthousiasme in het plan van zijn vrouw meeging. Een kerstetalage, da s een lumineus idee, laat jij ze hier in het dorp maar s zien wat een echte Kerstmis is.

Alsof wij dat niet weten, pinnigde Ant. Wat drommel, die jongen moet toch niet denken dat ze hier achterlijk zijn.

Maar Lieuwe, met een achteloze handzwaai: Ach, moeder, hou toch op, moet je in Latijns-Amerika komen. Alle heiligen gaan voorop en al wat niet gelooft komt erachteraan, en een kerststallen! De ene nog mooier dan de andere. Je kijkt je ogen uit.

Ja, dacht ze. De heiligen voorop en de armen erachteraan. En Liefdegeest spaart ruitertjes voor de vergeten kinderen in Peru, die hun kostje bij elkaar scharrelen op de vuilnisbelt. En scherp viel ze uit: Jawel, moet je Liefdegeest vragen, rijk van de ellende die ze over hun medemens uitstorten.

Nou, ja, gromde Lieuwe. Overal is wel wat. En Liefdegeest, wat weet hij ervan?

Meer dan je denkt.

Lieuwe: Alleen omdat hij zegeltjes spaart?

Dat is het niet, wierp ze tegen. Het is, het is... Ja, wat is het nu precies? Al komt hij door Steef bij hen over de vloer en schaakt hij Goof onder de tafel, wat weten ze van hem? Liefdegeest, die Maria beter begrijpt dan een van hen allen, zelfs Lieuwe valt het op. Lieuwe zegt: Het is dat hij zo n ouwe kerel is, anders zou ik gaan denken...

En Ant denkt: net wat Lieuwe zegt. Liefdegeest, een ouwe kerel Maar zij worden er ook niet jonger op en hebben niet voor niks geploeterd. De zaak is hun eigendom gebleven en Mans bedje is gespreid. Mans, die uitgaat met Alie Mulder, en Alie wil wel. Maar of Mans zo hard voor Alie loopt, daarover heeft zij haar twijfels. Mans, hij is weg van Maria, kijkt haar naar de ogen, en Lieuwe gaat er lachend aan voorbij en zegt: Mijn broertje is een beetje overstuur, dat zakt wel af. Trouwens, wie kijkt er niet naar Maria? En Goof gooit er nog een schepje bovenop, zijn mening: Maria straalt de schoonheid van haar eigen wezen uit. Ant, diep gepikeerd omdat Goof zo praat, valt snibbig uit: Toe, toe, ouwe gek, je gaat met jezelf an de haal.

Goof, een tikkeltje zuur: Jammer dat je me niet begrijpt. Enfin, we rooien het wel met z n allen.

Precies, ze rooien het wel, maar Ant is nog niet bij Maria op bezoek geweest en vorige week viel Lieuwe plotseling uit: Verdomme, ma, wat is dat voor een houding? Maria is wel je schoondochter.

Ze schoot in de verdediging: Je vergeet dat je moeder geen achttien meer is, het huishouden, de winkel, ik heb genoeg omhanden.

Lieuwe: Klets, Maria staat hier elk weekend in de winkel, maar als je volgende week met pa niet meekomt, kom ik je persoonlijk halen.

Ze stoof op: Ga je dreigen?

Lieuwe, die zich nooit van zijn stuk liet praten. Ik, jou? Opeens schaterde hij het uit, zijn onbezorgde lach rolde onder de balken. Plotseling tilde hij haar van de grond, hield haar omhoog in zijn armen en schaterde: Wil je Ons Lieve Heertje s zien? Vraag hem dan of-ie die spinnenwebben uit je kop raagt. Bom, ze stond weer op haar benen, en Lieuwe zei vol ernst: Je komt met pa mee, h , moe?

Ze weerde. Ik zal wel zien. Verdorie, dat jong behandelde haar alsof ze zijn gelijke was, daar had je het weer.

Niet zien, doen.

Haar blik glijdt naar Maria, met een zwart geajourde panty en opgetrokken rokken scharrelt ze heel voorzichtig door de etalage. Maria, waarvan de klanten tegen Ant zeggen: Je hebt het maar getroffen met zo n schoondochter.

Geknars van remmen, de broodbus. Wie stapt eruit? Steef Staal, hij schuift het portier open, pakt een krat, loopt snel naar de winkel toe. Vlug, vlug werpt ze een blik in het oplichtend vensterglas, zit haar haar goed? Nog een geluk dat ze vanochtend een schone winkeljas heeft aangetrokken. Plotseling in haar een gevoel van onbehagen, wat moet hij niet denken, als hij Maria daar in de etalage ziet?

Steef denkt en ziet niets, hij zit met zijn gedachten bij het werk. Het loopt tegen de feestdagen, de bestellingen stromen binnen en hij kampt met een personeelstekort, vier man tegelijk liggen met de griep, dat is de reden dat hij zelf de handen uit de mouwen steekt, en vanochtend tegen Mans zei: Ik op de bus en jij van de week in de fabriek.

En Lieuwe? pareerde Mans, die het werk in de fabriek niet zag zitten. Wat moet die?

Hij, ontstemd, alles liep tegen vandaag, viel nors uit: Geen gezeur, aan het werk.

Mans verdween met gebogen hoofd achter de fabrieksdeur.

Steef sjouwt met een krat, met daarin de weekreclame.

Ant trekt gehaast de winkeldeur open en zegt verwonderd: Wat nou, de baas zelf?

Hij knikt. Dat zie je goed. Hij zet het krat op de toonbank. Alsjeblieft, de weekreclame.

Verbazing: Da s toch Mans werk, kratten rondbrengen?

Hij, kort, afgemeten: Ziekte en zeer, Mans valt in in de fabriek en ik rijd de bus.

Verbazing ten top. Jij? Als de grote baas?

Een schaduw van een glimlach. En wat dan nog? Ik word er niet minder van.

Ze polst: En Lieuwe, wat ben je met hem van plan?

Een stekende blik en een stroef: Dat zijn mijn zaken.

In hem een gevoel van onbehagen. Dat komt ervan als je op vertrouwde voet met de familie omgaat, maar Ant moet vanuit dat standpunt niet denken. Een beetje afstand moet er tussen hen toch blijven. En ook zij worstelt met haar gevoelens en denkt: fout, hij heeft gelijk, dat zijn zijn zaken, waarin eenieder op zijn eigen plaats, zich intomend mompelt ze: Ik, eh, het spijt me.

Hij sust: Al goed, al goed, en wijzend naar het krat: Vijftig kerstkransen, Goofs werk, je mag er trots op zijn.

Trots? Al is het honderdmaal Goof, in de winkel zwaait zij de scepter, ze heeft meer kerstkransen besteld en stroeft: Moet ik nee verkopen? Ik heb er meer besteld.

Weet ik, weet ik, maar ik kan ook niet toveren en met het personeelstekort dat ik heb, heb ik de lading verdeeld over de bakkers in de regio.

Ach, zo is het in die dagen, en Eef Dompers?

Eef Dompers, die toen Ant met een tekort bij hem aanklopte nul op het rekest kreeg, iets wat ze nog steeds niet goed kan verkroppen, en Steef Staal weet dat.

Maar Steef gaat er niet op in, legt de formulieren op de toonbank en zegt met een effen gezicht: Gelijke monniken, gelijke kappen.

Dat antwoord kan ze moeilijk verwerken, ze ritst de bestellijsten van de toonbank, stopt ze in de la en valt vinnig uit: Je hebt hier niet met monniken te doen, Steef Staal, maar met bakkers.

Ja, vertel hem wat. Ant en Eef, water en vuur, maar geen van beiden kan of wil hij passeren. Ant, een sterke, moedige vrouw, die in moeilijke tijden naast haar man stond. Als je als kerel zo n vrouw treft, ben je spekkoper. Hij legt berustend zijn hand op de hare en bromt mild: Het komt wel goed, Ant.

Zijn hand op de hare, aan zijn ringvinger een fonkelende monogramring waarin gegraveerd een dubbele S. Een fysieke pijn doorstraalt haar, zou hij kennis hebben aan een vrouw? Ze zeggen maar wat zeggen ze hier niet? Ze trekt haar hand weg, wendt haar gezicht af en zegt: Dan wacht ik het maar af.

Hij glimlacht. Nu lijkt Ant precies op een klein bedeesd kind. Dan, met een blik op de etalage: Verhip, Maria, ik heb je nog niet opgemerkt. Maria, kind van het zuidelijk halfrond, zal ze wennen in het noorden? Enfin, aan Lieuwe heeft ze houvast en zekerheid.

106

Maria, die hem toelacht en zegt: Dit jaar hebben we een kerstetalage.

Kijk s an, lacht hij en hij slaat een blik op het gouden kruisje in het kuiltje van haar hals en denkt: Maria is rooms, Lieuwe protestant, en volgens Steefs vader zijn zij lid van de Baptistengemeente, maar naar zijn weten hebben hij noch zijn vader ooit een kerk vanbinnen gezien. En pa maakt het helemaal bont, diens mening: Alle kerken zijn kroegen, en weet je waarom? In de hemel is geen bier. En Lieuwe, zelf ook geen kerkloper, zegt: Daarin staat eenieder vrij, en wat Maria doet, moet ze zelf weten. Ik stop haar niet in een dwangbuis.

Vind je het leuk? Een stralende lach van Maria.

Lieuwe loopt in de voetsporen van zijn vrouw. Dat is Ant, als een dissonant valt haar stem tussen hen.

Stilte Een teleurstellende trek glijdt over Maria s gelaat. Madre, altijd zoeken naar haken en ogen.

Ant zelf, met wrevel op haar hart, vooral over Lieuwes plan, ratelt door: Lieuwe, af en toe heeft-ie wat anders, nu loopt hij met het dolle plan in zijn kop die bloemenwinkel aan het Kerkplein te huren, en weet je wat hij zegt? Als het een fiasco wordt, kan Maria weer terug naar het bloemenstalletje op de markt. Nou vraag ik je. En met een scherpe blik naar Maria, die er wat beteuterd bij staat: Van wie komt dat plan nu feitelijk, van jou of van je man?

Maria, op zachte, bedeesde toon: Lieuwe heeft er wel met mij over gesproken, maar... Ze zwijgt, zoekt steun tegen de etalage.

En Ant, bij het zien van Maria s terneergeslagen houding, trekt haar eigen conclusies en zegt een tikkeltje opgelucht: Zo te horen sta je aan mijn kant.

Steefs blik glijdt van de ene naar de andere vrouw. Maria staat er wat verloren bij en Ant trekt het krat naar zich toe, telt de kransen, en hij denkt: vrede op aarde, in de mensen een welbehagen, en vraagt zich af of Lieuwe ongewild het tweespalt zal worden tussen die twee vrouwen. En dat is iets wat hij — Steef — uit een hecht gevoel van sympathie met de familie Mandemaker koste wat kost wil voorkomen.

Hij wendt zich tot Maria en zegt: Ik zal er s met Lieuwe over praten, en met een lachje tot Ant: En bedwing jij je boze gezicht een beetje. Heus, zo word je d r niet knapper op. Dag, dames. En weg is Steef Staal.

Onthutst kijken de twee vrouwen elkaar aan. Ant vindt het eerst haar spraak terug, kijkt Steef door het raam na en zegt: Nou moe, moet je nog peultjes?

En Steef, rijdend op de bus op weg naar de fabriek, denkt: zorgen, overal zorgen, bij de Mandemakertjes en op de fabriek. Volop drukte en handen tekort. Enfin, alles gaat voorbij, ook dat. Maar er zijn zwaardere zorgen waar hij zijn hoofd over breekt, als de fabriek op deze capaciteit blijft draaien, dan moet hij uitbreiden. Dat draait om een grote zak geld en om een bouwvergunning van de gemeente en dan moet je nog maar afwachten hoe alles uitpakt. Toch maar s met pa praten. Al kent hij diens sluwheid te goed om in zijn rechtschapenheid te geloven. Enfin, hij zal wel zien hoe het uitpakt, maar n ding wordt hem hoe langer hoe duidelijker. Hij, Steef Staal, directeur van de broodfabriek, was hij er maar nooit aan begonnen.

HOOFDSTUK 8

H , h , zucht Ant en ze zakt op een stoel neer. Vrijdag koopavond, van s morgens vroeg tot s avonds laat op je benen. Ik ben bekaf.
Je hebt Maria toch? ligt het op de tong van Goof, maar hij zwijgt wijselijk. Het is beter niks te zegen, want n woord en hij krijgt er duizend terug. Ant, prikkelbaar en nerveus, en dat om het eventueel huren van die bloemenzaak. Lieuwe ziet het nog steeds zitten. Maria praat er niet over. Ant des te meer, en hij, Goof, zegt: Bemoei je d r niet mee, da s hun zaak.
Ant, op een hoog toontje: Als ik me toentertijd niet met de zaak had bemoeid, waren we nu nergens.
Hij, bezeerd, want wat draaft ze weer door, zegt: Je vergeet daarbij een ding: Steef Staal hield ons uit de sanering.
Ant, snibbig: Daar hoef je me telkens niet aan te herinneren.
Nu zegt Ant heel wat anders: Die koopavond zit me in mijn benen. Ze voelen als lood. En ze wrijft met een pijnlijk gezicht over haar knie n.
Hij: We moeten wel, we zijn middenstanders en draaien volop in de molen mee. En eet dat tweetal hier mee?
Dat tweetal is Lieuwe en Maria. Maria, die nu op vrijdag en zaterdag in de winkel helpt en Lieuwe, die overuren draait en laat van de fabriek komt, waarop Ant kordaat besliste: Dat gedraaf van en naar huis en weer terug, niks waard. Vrijdags eten jullie hier.
Lieuwe zei: Een prima idee. Maria zei niks, legde zich bij Lieuwes beslissing neer. En hij, Goof, kijkend naar Ant, dacht: zolang de kruik te water gaat...
Bam, slaat de pendule. Ant komt overeind van de stoel en zegt: Ik ga de tafel dekken.
Vlug staat hij van zijn stoel op. Ant is moe, hij ziet het wel, en zegt: Blijf jij maar zitten, ik doe het wel. Hij scharrelt heen en weer tussen kast en tafel, spreidt het tafellaken uit, pakt brood plus broodplank, zet de bordjes op de tafel en Ant, kijkend naar dat gekeuter, zegt met een plotselinge warmte: Ouwe dibbes van me. En wijzend op de bordjes: Je vergeet Mans.
Die eet vanavond bij Alie.

Alie? Ja, Aai denkt ook: ik moet mijn dochter kwijt.

Hij grinnikt, trekt een grimas en bromt: De ouders vrijen harder dan de dochter.

Ant, met stellige zekerheid: Mans laat zich niet strikken, daar is-ie te link voor.

En Goof, met zijn gedachten bij hun buren, gaat erop in. Alie is anders wel een goeie partij.

Ant, met een stille glimlach: Jij was vroeger ook een goeie partij.

Vroeger, da s zo lang geleden, en als ik erover nadenk, is precies dat ene kleine elementje blijven hangen waarin ik dacht: ik ben alles kwijt, de zaak, weg jaren van noeste arbeid. Weet je dat ik toen om erbarmen heb gebeden?

Jij? klinkt het onthutst. Jij en bidden, daar heb je me nooit iets van verteld.

Waarom zou ik, misschien had je me uitgelachen.

Ant, nog steeds in verwondering, schudt haar hoofd. Misschien, misschien ook niet. Maar wat ik wel weet, zo heb ik nooit gedacht.

Hij, met een verlegen glimlach: Je zou het alsnog kunnen.

H ? Voor het naar bed gaan op de knietjes en handjes vouwen?

Hij, bedachtzaam: We zouden kunnen beginnen met samen naar de kerk met de kerst.

De kerk? Doe me een lol, daar moet ik s goed over nadenken. Maar terwijl ze dit zegt, heeft ze de zonderlinge gewaarwording dat ze haar man in al die huwelijksjaren voor het eerst ziet, en dat hij nooit zo levensecht voor haar heeft gestaan als nu. Wat zegt hij nu?

Je hebt nog ruim een week de tijd om erover na te denken.

Om in jouw trant te blijven, Hem te danken voor Zijn erbarmen?

Zoiets ja. Waar staat de kaas?

Daar op de tweede plank. En met een spottende grimas: Als ik jou zo hoor, beschouw je Hem niet een klein beetje als je zaakwaarnemer?

Nee, dat zie ik meer in Steef Staal.

Steef Staal, zijn beeld verschijnt op haar netvlies. Zij en Maria komen handjes tekort om al die klanten te bedienen. Sientje Mos heeft haar mond vol over Liefdegeest en Alie Bruin over haar dochter, die van haar derde loopt. Ze hebben al twee meiden en Piet zegt: Nu een jon-

110

gen. Kobus mengt zich in het gesprek, hij weet te vertellen dat Staal senior weer een andere huishoudster heeft, een vrouwtje uit de nieuwe wijk, haar man werkt als dekknecht op de binnenvaart.

Als dekknecht, dan loopt het er niet aan over, weet Sientje. Dat was m n neef ook, maar die gaf er de brui an.

Kobus, grinnikend: Daarom werkt ze bij die ouwe Staal. Goed van eten, goed van drinken. Wat hij verder denkt, daar zwijgt hij over.

Sientje richt zich plotseling op Staal junior. Rijk, directeur, woont in een mooi huis. Je zou toch denken...

Kobus: Hij heeft geen vrouwenvlees.

Sientje: Dacht je? Als-ie eerst maar s de ware tegen het lijf loopt.

Die praat over Steef Staal maakt Ant doodnerveus. Vragend richt ze haar blik op Sientje: Wat zal het zijn? Alsof ze het niet weet: een hallefie wit en een hallefie bruin.

Sientje, scharrelend met de portemonnee: En een kerstkrans, ik zeg maar zo, ze benne in de reclame, dan moet je het maar nemen.

Zo is dat, Sientje. Ze schuift het hallefie wit en het hallefie bruin over de toonbank. Dat is dan...

Ring, de winkelbel

Heb je het over de duvel, dan trap je hem op zijn staart. Steef Staal, hij houdt woord, komt nog een aantal kerstkransen brengen. Kransen, gevuld met echte amandelspijs, bestrooid met poedersuiker en versierd met Franse vruchtjes.

Ant, druk doende met Sientje, wijst naar de hoek van de toonbank. Zet daar maar neer.

Maria zegt heel iets anders: Wat lief dat je ze alsnog komt brengen.

Steef: Beloofd is beloofd. Nu jullie beurt, breng ze maar aan de man.

Maria, met een blik op de druk pratende klantjes: O, dat zal best lukken.

Hij, met een olijke knipoog: Dat denk ik ook wel, trouwens, van jou verwacht ik niet anders. Dag Maria. Weg is Steef Staal.

Ant, met een gevoel van onberedeneerd verzet, kijkt hem na, en zegt in het algemeen: Hij ziet ons niet eens staan.

Een schorre lach van Kobus: Wat dach-ie dan, met Maria in de buurt, bij ons gaan de jaren tellen.

111

Kobus heeft de lachers op zijn hand, ze zijn het met hem eens Oud, grijs haar, vergeet het maar.

De lachers hebben gelijk, maar toch voelt ze een jaloerse pijn, waarvan ze dacht: zoiets zal mij niet overkomen. En nu? Is ze jaloers op haar schoondochter, die met haar lieve lach altijd de aandacht trekt? Nee, nee, en nog s nee, zij — Ant — weet wel beter, het draait om Steef Staal, als hij bij haar in de buurt is trillen haar handen, bonst haar hart, moet ze de woorden uit haar keel wringen, telkens weer raakt ze onder de indruk van zijn persoonlijkheid, en nu met dat gelach van al die klantjes in haar oren Ze strekt zich hoger in de schouders en zegt een tikkeltje schor: Steef Staal, af en toe is hij een grote lomperik.

Kobus vat vlam: Maar ook een geweldige kerel, hij trok met zijn fabriek het dorp uit het slop, met voor velen brood op de plank, en hij denkt daarbij aan zijn contract voor het wekelijks ramen zemen. Nee, bij hem geen kwaad woord over Steef Staal.

Mooi gezegd van Kobus, er zit een kern van waarheid in, al die warme bakkers, die binnen een aantal jaren uit de regio zijn verdwenen. Maar bakkerij Mandemaker dan? Door wie en wat? De gedachten maken haar nerveus en heel de verdere middag voelt ze een rem op haar handen, en ze is blij dat Maria zo veel mogelijk het werk uit haar handen neemt, en ze is nog blijer dat het tegen sluitingstijd loopt en ze straks de winkel kan sluiten, en zegt tegen Maria: Godzijdank, het zit er bijna op, als jij nu eerst naar je eigen huis wilt, ga maar, kind.

Maria, met een borstel druk bezig de broodrekken schoon te vegen, schudt haar hoofd en zegt: Lieuwe heeft een afspraak met Steef Staal.

Als een bliksem schiet het door haar heen: dus toch. Nog altijd die bloemenwinkel, en ze zegt: Is dat onzalige idee nog niet van de baan?

Een schuchter: Nee, nog steeds niet.

Denkt-ie er rijk mee te worden?

Maria haalt haar schouders op: Ik weet het niet.

Vanzelf, wat weet Maria wel, ze vraagt: En jij gaat mee?

Maria, met een hoogrode kleur op haar wangen: Hij staat erop.

Ach zo. Lieuwe ten voeten uit, en Maria is het volgzame vrouwtje dat haar man gehoorzaamt.

Gramschap welt in haar op, Lieuwe had als knaap al een sterke wil en is altijd zijn eigen weg gegaan, scherper dan haar bedoeling is valt ze uit: Je moet je door je man niet zo op je kop laten zitten, want voor je het weet, wordt dat de schaduw over je geluk.

Maria, plotseling stomverbaasd: Praat u zo over uw eigen zoon?

Maria die dat tegen haar zegt, zijn de rollen ineens omgedraaid, leest Maria haar de les. Het verwart haar, maar om daar met haar over te discussi ren? Met al dat gebeuren over toen en nu, maar dat het in haar — Ants — binnenste knaagt, is wel zeker. Lieuwe een scherp verstand, een ijzersterke wil, en als hij ergens zijn zinnen op heeft gezet Zachtjes zegt ze: Lieuwe, je kent je man nog niet, lieve kind, en terwijl ze dat zegt, denkt ze: ik heb hem gebaard, gevoed, de melk uit mijn borsten was zijn levenskracht, maar gekend heb ik hem nooit.

Gedachten die onrustig maken, ze springt op, pakt het broodmes uit Goofs hand en kriegelt: Wat sta je toch te klungelen, ga maar zitten, de rest doe ik zelf wel. Hoeveel sneetjes, twee wit, twee bruin?

Hij: Je doet of je tegen een kind praat. En, een tikkeltje ge rgerd: Steekt de humeurigheid je weer?

Zij, met haar gedachten nog steeds bij Maria, antwoordt: Die twee komen wat later, ze hebben een afspraak met Steef Staal.

Zo, zo, dus daar zit bij Ant de pijn, hun oudste zoon stug in eigen gedachten volgroeid, en zijn eigen weg gaat, wat ook hem — Goof — in het verleden heeft bezeerd, maar op den duur heeft hij zich erin geschikt en d r mee leren leven.

Ant, met mes, houdt huis in het botervlootje, en omdat Goofs zwijgen haar op de zenuwen gaat werken, valt ze kiftig uit: Het zal wel over die bloemenzaak gaan.

Waar anders over?

Wat-ie toch in die bloemenzaak ziet. Moet je kaas op je brood?

Doe maar, en waar wind jij je zo over op? Zoals ik Steef ken, zal hij hen met raad en daad bijstaan.

Ze hoort het al. Goof, hij staat aan Lieuwes kant, en Mans toch wel, en zij heeft een gevoel of ze in de steek wordt gelaten, snibbig valt ze uit: Zo denk jij, maar ik geloof niet zo in die mooie woorden. Steef Staal, een kapitalist met kapitalistische streken, hij zal met zijn goedbedoelde raad Lieuwe mooi voor zijn eigen karretje spannen, en loopt het mis, dan is Lieuwe de pineut, en Steef Staal springt eruit.

Hij ziet haar strakke gezicht waarin die verbeten mond, en vraagt zich a f Wat is er toch de laatste tijd met Ant, als de naam van Steef valt gaan direct de haren overeind, en zachtjes gaat hij op haar praat in: Jij bent vergeten hoe hij in het begin ons karretje heeft getrokken, al geef ik toe niet zonder eigen profijt, maar op het lest kwam toch alles goed, en wees eerlijk, Ant, hij zowel wij zijn d r niet slechter van geworden.

Pats, de theepot op het lichtje, wat kan ze tegen Goofs praat inbrengen? Hij heeft gelijk, Steef Staal ging van vijand tot huisvriend, en ook het fabriekspersoneel heeft een mateloos vertrouwen in hem. En Kobus, Mans en Liefdegeest niet te vergeten, en meester Winsma, de voorzitter van de vereniging Voor het goede doel , allen bewonderen hem om zijn collegialiteit. En ze weet dit allemaal, maar ze wrokt over iets wat ze niet goed kan thuisbrengen, zoals een vermoeid mens over iets in haar leven kan piekeren. En dat is bij haar de persoon Steef Staal, niet dat ze een avontuurtje zoekt, trouwens, hij ziet haar niet staan, hoewel hij haar om d r bakkie leut de hemel in prijst, maar dat doet hij Maria ook. Maria, die met haar vrouwelijke charme Lieuwe aan de haak heeft geslagen. Of was zij gevallen voor Lieuwes stoere mannelijkheid. Wat weet ze van Maria, alleen dat ze Lieuwes vrouw is. Plots valt uit haar mond: Weet jij wat Maria deed voor ze Lieuwe leerde kennen?

De vraag komt onverwachts, Goof veert rechtop op zijn stoel, bijna snijdt hij van schrik in zijn vinger, moet hij aan Ant vertellen wat Lieuwe hem allemaal heeft toevertrouwd. Hij voelt zich onrustig en met zijn ogen op zijn bord gericht zegt hij: Ik zou het niet weten.

Wantrouwend kijkt ze hem aan: Echt niet, jullie als mannen onder elkaar?

Hij schudt zijn hoofd, voelt zich onzeker, Ant met d r vrouwelijke intu tie, die houdt je niet gauw een blinddoek voor. Daar heb je het al. Echt niet.

114

Ze houdt vol. Of moet jij voor Lieuwe de kastanjes uit het vuur halen?

Ant ruikt lont, en hij voelt zich in een hoek gedreven, wat moet hij nu, Lieuwe verraden? Meer dan moe zegt hij: Vraag het hem zelf. Maar of hij zich hierdoor opgelucht voelt Enfin, wat Maria betreft, de klok kan niet meer worden teruggedraaid.

En Ant, bezig met het besmeren van een beschuit, zegt: Dat zal ik zeker.

Maar daar komt voorlopig niks van, althans niet over Maria, want voetstappen in de bakkerij, en Lieuwe en zijn vrouw komen binnen. Maria met haar innemende glimlach. Lieuwe met een glundere grijns op zijn snuit, hij zegt: Het is dik voor mekaar. En, tevreden in zijn handen wrijvend: Volgende week komt de zaak rond.

Wie zegt dat? Ant, met een zuinig gezicht.

Lieuwe, enthousiast: Steef, wie anders.

Juist, Steef Staal, die hen jaren geleden ook het mes op de keel zette, en pal daarop met een eigen oplossing op de proppen kwam, en als zij bereid waren daarin mee te gaan, ze buiten de sanering bleven, zodat de zaak weer vlotgetrokken kon worden. Doe niets overhaast, denk d r goed over na, dan hoor ik het wel , en weg was Steef Staal. Ze dachten erover na, Goof was enthousiast, zij had haar twijfels, t ch kwam binnen een maand de zaak rond, de bakkerij ging dicht, de win- kel bleef open, Steef kocht hun boedel op, en zij gingen over op de verkoop van fabrieksbrood.

En Steef hield woord, hij stond achter hen, al die jaren, en beiden wer- den er niet slechter van.

En Lieuwe ratelt maar vol enthousiasme, is het van Steef dit, Steef dat Steef, een reuzebink, en het dorp mag blij zijn met zo n colle- giale ondernemer.

Goof knikt, en Maria zwijgt, en zij merkt koeltjes op: Dus als ik het goed begrijp ben jij volgende maand eigenaar van die bloemenzaak? Lieuwe, met zijn warme, donkere lach: Mis op huurkoop moe, voor- al de eerste jaren. Steef is de eigenaar, ik blijf op de fabriek werken. Maria verdient de centjes in de zaak en met mijn salaris d r bij moet het toch lukken.

Mooi geredeneerd, maar hoe moet het op vrijdag en zaterdag hier in de winkel, heb je daar wel s aan gedacht?

Lieuwe, met een zorgeloos lachje: Komt tijd, komt raad.

Zij, gepikeerd: Als je vader en ik d r vroeger ook zo over hadden gedacht

Lieuwe, verwonderd: Hoor daar, van wat ik weet heeft Steef jullie toen ook niet in de steek gelaten.

Woorden die aan haar donkerste periode rukken, waaraan ze liever niet herinnerd wordt, en Lieuwe die zich er niets van aantrok, en zijn eigen weg ging.

Vinnig valt ze uit: Jawel, Steef Staal de grote weldoener, maar hij is niet gek. Jij straks een zaak op huurkoop, en wat voor sleutelpositie heeft hij zichzelf hierin toebedeeld? Nou, nou, vertel s. Kapitalisten, maar ga je met ze in zee, dan hebben ze je in een tang, knijpen ze je uit als een citroen.

Ant Goofs stem die zwaar tegen haar ruzi nde stem ingaat: Wat je daar allemaal zegt, denk een beetje om je woorden.

Hij ziet de trek van het bezeerd niet-begrijpen op Lieuwes gezicht, maar ook de zenuwtrekken op Ants gelaat, die de angst van de tijd van toen nog altijd met zich meedraagt. Ant, eens de sterkste van hen twee n, en nu het hun naar jaren weer goed gaat de zwakste, en zacht-jes zegt hij: Da s een zaak tussen Lieuwe en Steef, en niet de onze.

O ja? O ja? En als het fout gaat, en hij aan zijn financi le verplich-ting niet meer kan voldoen? Dan is-ie mooi al zijn centen kwijt. En wat dan?

Dan is het nog altijd zijn zaak en zijn verantwoording.

Je denkt d r wel heel makkelijk over.

Dat doe ik niet, maar Lieuwe is oud genoeg om voor zichzelf te beslissen, en als hij in die bloemenzaak een kans ziet, zou-ie stom zijn die niet te grijpen.

Met hulp van Steef Staal.

En wat is daarop tegen?

Juist, wat is daarop tegen? Steef, de kapitalist, en voor velen hun broodheer. Steef, die in zijn handel en wandel onder de kleine man respect afdwingt. Hoe zegt Liefdegeest het ook weer? Steef Staal, hoe ik hem zie? Vliegen met de adelaar, krabben met de kippen.

Treffend, zoals Liefdegeest dat ziet. Steef Directeur, rijk, gaat om met notabelen. Is dat in zijn branche vliegen met de adelaar. En in glijvlucht afdalend naar de mindere man, hoort hen aan tot een handreiking. Is dat krabben met de kippen?

En jij? wendt ze zich tot Maria. Doe jij je mond s open, hoe denk jij d r over? Maria, die vorige week nog liet doorschemeren dat ze niet meeging in Lieuwes enthousiasme, maar nu in vaste overtuiging zegt: Lieuwe zal het beter weten dan ik, en als Steef Staal garant voor ons staat, leg ik me bij zijn besluit neer.

Heel verstandig gesproken. Da s Goof. Als je naast je man blijft staan, is de helft al gewonnen. En met een hoofdknik richting Ant: Neem je schoonmoeder als voorbeeld, ze is me altijd blijven steunen, ook in moeilijke tijden.

En Steef Staal, niet te vergeten, lacht Maria. En hij ziet lichtjes in haar stralende kijkers, en ondanks de gespannen situatie lijkt alles opeens een beetje lichter. En als Ant nu ook een beetje inbindt, dan zal het waarachtig wel gaan.

Daar heb je Mans en Alie, zegt Lieuwe met uitzicht op het erf. Die zijn ook benieuwd.

Wat? zegt Ant. Zitten zij soms ook in het complot?

Complot? Lieuwes stem is hard als ijzer: Ik vraag me af, waar beticht je ons van? Samenzwering, en dat alleen omdat Steef Staal voor me garant staat? Ik had me jou wijzer gedacht, maar nu weet ik beter. Hij houdt Maria s jas op. Trek aan, we gaan. Wat zeg je, vader? Dat het zo niet moet gaan? Je hebt gelijk, maar je houdt me niet tegen. Moeder altijd met haar gevit, het zit me tot hier.

Lieuwe Ants vleiend-bevende stem. Asjeblieft, niet zo.

Hij hoort hierin de uitputting van haar drift, maar wil het niet horen. O, hij is lang geen lekkertje, dat weet-ie van zichzelf wel, maar het moet maar s volledig tot haar doordringen dat hij recht heeft op eigen handel en wandel. Hij duwt Maria voor zich uit en zegt: Adieu, voorlopig zet ik hier geen poot meer over de drempel.

Heb je nu je zin? Da s Goof. Jij met al die opgeschroefde bezwaren, het was beter geweest als je wat met dat stel meeleefde. Jij en Lieuwe, harde koppen, allebei.

Ze kijken elkaar aan, in dat ene moment voelt de een dat de ander hem begrijpt. Ant rukt de kamerdeur open, rent de gang in en botst prompt tegen Mans op.

Hij verbaasd: Waarom al die haast, moe? En met een lach: Hoe is het Lieuwe vergaan?

Een ogenblik kijkt ze hem verdwaasd aan, zegt dan: Vraag het aan je vader, hij zit in de kamer.

Er knakt iets in haar, of heel haar innerlijk instort. Weg moet ze weg, naar buiten, haar gedachten tot rust dwingen, alles weer overzichtelijk op een rijtje zetten, weer nuchter onder ogen zien. Steef, Goof, Lieuwe, drie mannen van betekenis in haar leven. En Mans? Dat is nog altijd haar kleine jongen.

Wat had moeder? vraagt Mans als hij de kamer binnenkomt. Ze liep me temet van de sokken, zo n haast had ze.

Goof bijt op zijn lip, ziet in een flits weer heel het gebeuren en zegt: Mot met Lieuwe.

Een onverschillig lachje: O, wanneer niet? Enne hoe is het afgelopen bij Steef Staal?

Da s Lieuwes zaak, vraag het hem zelf.

Dat zal ik, lacht Mans. Stel je voor, zeg, Lieuwe straks een eigen bloemenzaak.

Afwachten, tempert hij Mans enthousiasme. Zover is het nog niet. Wat kletst Mans nu?

Maria heeft Alie en mij uitgenodigd, of we het volgende weekend bij hen komen eten.

En wat zei Alie?

Dat we gaan, en, als bij ingeving: Weet je wat, pa, gaan jij en moe ook mee. Wie het ook is, je bent altijd welkom bij Maria.

Ja, vertel hem wat. Maria, een en al hartelijkheid. Maar Lieuwe, hoe reageert hij na die felle woorden met Ant?

Verdorie, waarom maken mensen onderling het elkaar zo moeilijk, een beetje nemen, een beetje geven en de zaak is rond. Maar kom daar maar s om bij Ant. Hij zucht en zegt: Ik zal het er met je moeder over hebben, maar ik heb er geen hoop op.

Ant, soms een eigenwijs drama.

Kerstmis, vrede overal, over stad en land, en ook over het dorp met zijn bewoners, die net als overal zingen en dromen van een witte

118

kerst. En alsof Onze Lieve Heer hun verlangen heeft verstaan: in de kerstnacht dekt hij het dorp toe met een witte wade. En schuifelen de voeten van de dierbare gelovigen door de verstilde witte wereld op weg naar de kerk. Recht tegenover de kerk staat voor het eerst midden op het plein een knoert van een kerstboom, wel acht meter hoog, waarin driehonderd gekleurde lampjes. Een kerstgeschenk van broodfabriek Staal, en Steef Staal persoonlijk heeft samen met een aantal vrijwillige fabriekarbeiders, onder wie Lieuwe Mandemaker, het teken van vrede op het Kerkplein neergezet. En Kobus Korthals en meester Winsma — beide begeesterd van liefde tot uw naaste — hebben samen, toen de kerkklok begon te luiden, de stekker in het stopcontact gestoken, zodat een stralende bekoring de kerk en het Kerkplein een feestelijk aanzien geeft.

En wie schuifelen daar tussen de vele kerkgangers? Goof en Ant Mandemaker, na al die jaren weer s samen naar de kerk.

Ant, met een zijdelingse blik op haar eega, denkt: ik lijk wel gek, opgetut en wel naar de kerk, en Goof die vandaag de dag alles beziet en beredeneert vanuit het geloof, en haar aan een vorig gesprek herinnerde, waarin hij zei: Je zou het alsnog kunnen.

Zij, dit alles vergeten, vroeg: Je bedoelt?

Goof: De kerk, weet je nog?

Zij, meer met haar gedachten bij de dagelijkse omzet, ging er achteloos op in. De kerk? Ik zie d r het heil niet van in.

Goof, ernstig en heel zeker van zichzelf: Na al wat we hebben meegemaakt, en nu weer hebben, is een beetje dankbaarheid wel op zijn plaats.

Zij, een tikkeltje nerveus door dat vrome gepraat, viel snibbig uit: Jij met je inbeelding van alle zegen komt van boven , vergeet Steef Staal niet.

En Mans en Lieuwe en Maria, pareerde Goof. Het is ons dit jaar allemaal voor de wind gegaan.

Een steek door haar hart. Lieuwe en Maria Door tussenkomst van Goof is het weer goed tussen moeder en zoon, maar niet meer als voorheen, dat voelt ze wel, al praat ze er niet over. En Goof die tegen haar zei: Godzijdank, jullie kijken elkaar weer in de ogen. Maar n ding, Ant, houd voortaan je grote kwek wat op mekaar. Lieuwe is geen snotneus meer.

Met kerst in het vooruitzicht begon Goof elke dag weer over de kerk. En zij, met het gevoel of hij het mes op haar keel zette, zei: Goed, goed, we gaan, en houd nu op met je gezeur.

Kijk, zegt Goof, wijzend in de richting van de zaak waar een aantal mensen voor de etalage staan te kijken. Maria heeft het toch wel goed gezien, de etalage trekt kijkers.

Juist, Maria met haar gouden kruisje en blijde lach. Maria, stralend staat ze in de bloemenzaak, lacht en kwettert de hele dag door en trekt als het ware de klantjes naar binnen. En Lieuwe, niet zonder trots, zegt tegen zijn moeder: Goed geschoten, ma, nog even en we moeten een hulpkracht inhuren.

Ze wil zeggen: En de zaak hier, denk je daar nog wel s an?

De zaak, soms wordt het haar te veel, voelt ze zich na sluitingstijd geradbraakt, slaat de twijfel toe en vraagt ze zich af: heeft bakker Molenaar het toentertijd beter ingeschat, zijn zaak gesaneerd, en een geldje tot aan zijn dood toe. Bakker Molenaar, ze horen nooit meer wat van hem. Enfin, volgende week krijgt zij — Ant — weer een hulp. En door wie geregeld? Juist, Steef Staal. Ze is een dochter van Mertens, de monteur van het wagenpark, waar Steef toentertijd een huis voor heeft geregeld. Steef zegt: Ze is een pittig ding met twee rechterhanden.

Zij: Eerst zien, dan geloven. Geloven, het woord plakt aan haar hersens vast als ze naar binnen gaan. De kleine dorpskerk zit al barstens vol, alle banken zijn bezet, de dorpers en import met vrouw en kinderen zitten vredelievend naast elkaar. Heel achteraan vlak bij de deur vinden Goof en Ant nog een plaatsje, de kou van buiten tocht in haar nek, ze doet haar jaskraag omhoog en foetert: Je tocht hier weg.

Goof, zachtjes fluisterend: De deur gaat zo dicht, kijk maar, Janus Bloothooft loopt al door het middenpad.

Ze foetert door: Het wordt tijd, de kou trekt bij m n benen op.

Janus Bloothooft, al jaren koster van de kerk, en in de winkel ziet ze hem nooit, hij is een trouwe klant van Eef Dompers. Janus meent, met een brede grijns: Dat scheelt me twee spie op een brood, da s veertien cent in de week. Janus, even gierig als benauwd, en n die de dominee naar de ogen kijkt. Dominee Hellendoorn, die w l zijn brood bij Mandemaker koopt, en wiens mening is: Wat voor godsdienst we ook belijden, voor Onze Lieve Heer zijn we allemaal gelijk.

O zo, de dominee weet het. En met een vriendelijk lachje: Uw schoondochter mag dan katholiek zijn, ze komt veel bij ons in de kerk.

Plots is Maria op haar netvlies, haar blijde lach, de vochtig-rode lippen, het schaduwkuiltje in haar hals waarin de glinstering van het gouden kruisje Maria, die naar de protestante gemeente gaat, en Lieuwe die je d r met geen stok naartoe krijgt, maar zijn vrouw hierin geheel vrij laat. En zij — Ant — met dat weten in haar achterhoofd, zegt: Een haan of een kruis op de torenspits, ik zie het verschil niet.

Ik ook niet, lacht de dominee, en loopt met het brood onder zijn arm de winkel uit.

Haar blik glijdt door de kerk, in het zijvak de zitplaats voor de kerkvoogden, vooraan de bank voor de notabelen, gereserveerd door Janus, met zijn uitsloverij. Die daar zitten, kent ze allemaal. Staal senior met zoon en huishoudster — naar men zegt een ver familielid — daarnaast de burry met vrouw en dochter, de gemeentesecretaris met aanverwanten, de dokter met zijn twintig jaar jongere vrouw — dat komt, hij is voor de tweede keer getrouwd — dan Meester Winsma, de voorzitter van Voor het goede doel en diens vrouw, en de nieuwe notaris, een vlotte blonde knul, sinds kort is hij hier in het dorp neergestreken en laat een riant huis bouwen in de nieuwe wijk, en een paar boeren uit de polder, waaronder de dierenarts-paardenfokker. Maar Maria: nergens.

Ze buigt zich naar Goof, vraagt zachtjes: Zie jij Maria?

Goof schudt zijn hoofd en is van mening: Die twee zullen uitslapen, het is zondag.

Juist, zondag en eerste kerstdag, en Maria

Achter haar valt de deur in het slot, de dienst kan beginnen.

Wie ook niet naar de kerk gaat, is Peer Liefdegeest. Ondanks dat hij de kerkklok hoort luiden, zit hij in zijn eentje in zijn huisje aan het Zandpad, en geeft zich over aan zijn mijmeringen. De schapendoes met de kop op zijn poten houdt zijn blik strak op zijn meester gericht. Zijn meester die een kaars heeft ontstoken en met een paar gesmolten kaarsdruppeltjes op een schoteltje heeft vastgezet dat staat naast een opengeslagen bijbeltje, en het flakkerend kaarsvlammetje werpt zijn schijnsel over het evangelie volgens Lucas. Liefdegeest leunt achterover tegen de stoelleuning en luistert met gesloten ogen naar de bronzen galm die zich voortspoedt, over de velen huizen in het dorp tot ver aan het Zandpad.

Tweeduizend jaar, mompelt hij. Vieren we Zijn geboorte en treuren om Zijn dood En dagelijks nagelen we Hem weer aan het kruis. Ook ik. En deze dag

Hij opent zijn ogen, staart stilletjes voor zich uit. Door het venster vallen de eerste stralen van een schraal winterzonnetje, ze glijden over het houten tafeltje, wedijveren in gloed met het kaarsvlammetje, en strelen over het evangelie. Gebiologeerd kijkt hij ernaar, sluit weer een moment zijn ogen, in hem schreit het.

Vanochtend vroeg was hij wakker geschoten uit een droom die hem al jaren in zijn greep houdt, zag het glinsterend dakraam flauw oplichten in het zwart van de vliering, kijkt op de wekker, de lichtgevende wijzers stonden op vijf uur. Van daar gleed zijn blik weer naar het zolderraam, waar miljoenen sterren als diamanten flonkerden in het blauwe velours van de nachtelijke hemel.

Kerstmis dacht hij, en in die dagen, in hem de twijfelende vraag: zal ik naar de kerk gaan, zal ik niet gaan? Hij kent dominee Hellendoorn, en de dominee kent hem. Ze maken wel s een praatje als ze in de winkel van Mandemaker op hun beurt wachten.

Dominee Hellendoorn vraagt: En, wil het inburgen hier een beetje vlotten?

Hij denkt: Steef Staal, Goof Mandemaker, Mans, en niet te vergeten Kobus, meester Winsma. Ja, die kent hij, daarmee staat hij op vertrouwde voet. Maar of ze hem kennen? Ja, zo op het oog. En hij zegt: Alles vraagt zijn tijd, maar het zal wel lukken.

Dominee Hellendoorn, een tikkeltje verbaasd: Nu nog, en je woont hier al een aantal jaren.

Hij: De een went vlugger aan zijn omgeving dan een ander. Woorden uit een onzeker hart, en in zijn ziel is onrust.

Dominee Hellendoorn: Ach zo. En, met een milde glimlach: Kom s bij ons langs, Liefdegeest, je bent altijd welkom.

122

Hij denkt: dominees, hun koppen barsten vaak van geleerdheid, en ze rammelen te veel met dogma s. Maar Dominee Hellendoorn? Hij — Peer — mag de man wel, en de dorpers zijn ook zeer met hem ingenomen.

Kom je nog wel s in de kerk, Liefdegeest? De vraag komt onverwachts, beelden zweven binnen, roepen herinneringen op. Hij — als snotjochie — tussen vader en moeder in de kerkbank. En moeder die gebiedt: Stilzitten en luisteren, met verstand alleen kom je er niet. Vader, blijkbaar door die woorden ge rriteerd, bromt: Preekstoelpraat, mij zegt het niks, voor jou ga ik mee, want anders Inderdaad, vader zegt het niks, va, die zachtjes-spottend zingt:
Petrus vraagt niet naar je centen,
Petrus telt je geld niet na
Als er in je hart maar goud zit
Kom je in de Gloria.
Moeder, ge rgerd: Pas op, man, spotters krijgen spotters loon.
Vader, een boerenarbeider met een schraal loontje en verzwegen armoede. Vader was het meer dan beu, moeder zag het niet meer zitten, zijn ouders besloten te emigreren. Ze gingen, en met hen nog zovelen met de boot over de grote plas, naar hun nieuwe vaderland. Vader, scherp van inzicht en pienter van geest, had het in een aantal jaren gemaakt. Onverwachts overleed moeder. Vader, nog in de bloei van zijn jaren, kon niet buiten een vrouw, trouwde opnieuw een nog veel jongere vrouw, prompt zette ze hem — Peer — het huis uit. En zijn vader, tot over zijn oren verliefd, ging hierin mee. En daarna, je mag wel stellen, hij — Peer — is in het leven op proef gesteld, en niet geslaagd. Ook hij heeft mensen diep bezeerd en op harten getrapt. Jetta Is hij dan zo veel beter dan zijn vader? En krijgt zijn — Peers — moeder gelijk? Hij durft daar niet aan te denken.
Dominee Hellendoorn dringt aan: Nou, Liefdegeest, geef daarop s antwoord.
Hij schudt zijn hoofd: Als kind wel, daarna niet meer. Weet u, de kerk zegt me niks.
En wie en wat zegt je wel wat?
Hij wil zeggen: Jetta, broeder Dominicus, en al die stakkertjes daar op die vuilnisbelt. Zou dominee Hellendoorn het begrijpen als hij

123

daarover begon? Vast wel, hij is een vriendelijk, medelevend mens. Toch zegt hij: Niets en niemand.

Niemand? Dominee Hellendoorn schudt zijn hoofd. Da s dan jammer, heel jammer. Maar kom toch maar s langs, en wie weet, misschien dat we elkaar een beetje beter leren kennen.

Misschien, dominee, heel misschien, is zijn antwoord. Maar in zijn hart weet hij heel zeker dat hij niet zal gaan.

De dominee, verheugd: Laten we het daarop houden. Dag Liefdegeest.

Hij: Dag dominee. Door het raam kijkt hij hem na, en achter hem klinkt de stem van Ant Mandemaker: Dominees en pastoors, ze preken voor eigen parochie.

Hij, nog steeds met zichzelf overhoop, bromt: Da s hun goed recht.

Ant: Recht? Ik vraag me wel s af, wat is recht? Heus, voor een dominee noch voor een pastoor zullen ze een erepoort oprichten.

Hij, lachend: Misschien wel voor deze dominee.

Ant: Je begrijpt me niet, of wilt me niet begrijpen. Plots, op een heel ander toontje: Heb je al een kaart vol met ruitertjes? Je weet het, h , bij inlevering van een volle kaart vijf gulden. Nou?

Moet hij nu zeggen dat in wezen voor hem die vijf gulden er niet toe doen?

Doen hoor, dringt ze aan. Nu we weten waarom je die ruitertjes spaart, sparen we allemaal met je mee. Da s Sientje Mos en ik en Kobus en Maria en de vrouw van meester Winsma, en nog een stel dorpers.

Kijk s an, glimlacht hij, en zijn gedachten omzweven Jetta en broeder Dominicus, die zich het lot van al die kinderen heeft aangetrokken, en als het de broeder meezit En peinzend hardop valt uit zijn mond: Misschien komt dan alsnog dat project van de grond.

Ant, plots een en al nieuwsgierigheid: Project? Wat voor project? Daar heb je nog nooit met een woord over gerept.

Hij: Een houten huisje voor iedereen.

Ant, schamper lachend: Van die onnozele vijf gulden? Wees toch wijzer. Wat doe je vandaag de dag met vijf gulden?

Hier niet, daar wel. Moet hij haar de waarheid vertellen, zeggen dat als het moet, hij de rest bijlegt? Beter van niet.

Ant, plots listig vragend: Of legt Steef Staal het overige bij?

Hij schudt zijn hoofd. Ik denk van niet, zegt hij, en hij vraagt: Hoe kom je opeens op Steef Staal?

Ant, vol ernst: Nou, hij levert toch die rollen beschuit? Vandaar.

Hij, voluit lachend: Ik zie hem nog geen ruitertjes plakken.

Ant, op scherpe toon: Nee, stel je voor, Steef Staal aan de ruitertjes, dat groot volk barst van de hoogmoed.

Ant Mandemaker die scherp over Steef uitvalt, maar hij — Peer — leest onrust in haar ogen. Zou Ant ? Steef, alles mee, niks tegen Ach kom, nu gaat hij met zijn eigen gedachten aan de haal. Ant, een vrouw waarop niks valt aan te merken. Een natte hondenneus tegen zijn hand, een poot op zijn knie, een zacht gejank. Hij schrikt op uit zijn mijmerij, krauwt de hond achter zijn oren en zegt: Potverdrie, je moet je brokken nog hebben, dat ben ik vergeten, en dat nog wel met kerst. Ga mee. Hij komt van zijn stoel overeind, pakt de zak hondenvoer uit de kast, gooit wat brokken in een oude pan zonder oor, en buiten roept een vrouwenstem: Ben je thuis, Liefdegeest?

Prompt richt de hond zijn kop, loert grommend naar de buitendeur.

Een zacht tikken tegen het raam: Ik kom je wat brengen.

Een vrouw die hem iets komt brengen, hoelang is dat geleden? Ja, ja, roept hij gehaast, ik kom eraan.

Snel schuift hij de grendels van de deur, trekt hem open. Voor hem staat Maria. Stokstijf blijft hij staan, als bij het aanschouwen van een wonder. Ze staat in de lichtende stralen van het winterzonnetje, dat over haar gestalte druipt, en ze komt op hem over als een verschijning uit een droom, omstraald door het witte winterlicht.

Jij? stamelt hij schor van emotie. Heel die weg door de sneeuw naar het Zandpad?

Ja, ik. Die lieve blik in haar ogen, haar warme lach. Wat kijk je me verwonderd aan, alsof je me voor het eerst ziet.

Haar lach tintelt in zijn oren als een zoete pijn en tovert het beeld van Jetta op zijn netvlies. Kom binnen, noodt hij. Hij loopt voor haar uit, slaat het stof van de biezen zitting en zegt: Ga zitten. En met een scheef lachje: Bezoek, dat overkomt me niet iedere dag.

Mans komt toch wel s langs?

Hij denkt: Mans, hoelang is dat geleden? Mans op vrijersvoeten, zal het wat worden met die Alie?

Maria grabbelt in haar tas, zet een pannetje op de tafel, tilt de deksel op. Kijk s, een stuk konijnenbout, dat zal smaken, is t niet? En Lieuwe zei

Haar woorden dringen nauwelijks tot hem door. Hij blijft haar aanstaren, niet in staat zijn ogen van haar af te wenden. Maria vrouw van het zuidelijk halfrond, hij weet wat er onder die volkeren leeft. Zal hij haar zijn levensverhaal vertellen, waarin Jetta voor hem van zo n grote betekenis was? Ach, waarom, hij kan beter zijn eigen dromen Dromen, even wonderbaarlijk als schoon, maar net toen hij dacht: nu gaat alles in vervulling, barstte de droom uit elkaar, sneed hij zich diep aan de scherven, verdween Jetta uit zijn leven en ging hij alleen verder. Hoelang is dit alles geleden? Dertig veertig jaar? Jetta, haar schim zit aan zijn ziel vastgekleefd. Of had hij in Jetta s persoon een fantasie van eigen maaksel liefgehad?

Maria leest de pijn in zijn ogen, ziet de gekwelde uitdrukking op zijn gezicht. Liefdegeest, die net als zij langzamerhand door de dorpers wordt geaccepteerd. Maar zij heeft Lieuwe aan haar zij. Maar Liefdegeest, wie en wat heeft hij? Ze kijkt s rond in het armzalige vertrek, maar boeken bij de vleet. Mans zei al: Een boekenwurm, die kerel, en vertellen dat-ie kan.

Verwonderd vraagt ze: Wat moet je toch met al die boeken?

Een stille glimlach: Lezen.

Al die boeken?

In de loop der jaren. Plots, op een ander toontje: Het is kerst, moest jij niet naar de kerk?

Zij, enigszins beschaamd: Nee, Lieuwe zei: kerst of geen kerst, we slapen vandaag maar s uit. Trouwens, hij gaat nooit naar de kerk, en bij jou loopt het er ook niet aan over.

Da s waar wat ze zegt, hij is ook geen hardloper, ondanks dat dominee Hellendoorn zei: kom s langs Dominee Hellendoorn of broeder Dominicus, het is allemaal om de zieltjes begonnen. Onrust in zijn hart en Jetta die zijn geest weer binnensluipt. Hij wrijft langs zijn voorhoofd Weg dat verleden, hij wordt er alleen maar beroerder van. Wat zegt Maria nu? Weet je wat, Liefdegeest, kom morgen bij ons eten.

126

Hij, overdonderd: Je bent de eerste die dat vraagt. Vindt je man dat goed? Lieuwe, een lomperik, die als het hem niet zint je bij kop en kont de deur uit gooit.

Een schaterlach: Lieuwe, da s de goedheid zelve. Dus je komt? Ik reken erop. En eet straks lekker in de konijnenbout. Dag, Liefdegeest.

Weg is Maria.

En hij denkt: zij alleen, heel die weg terug in de sneeuw. Maria, alsof er een engel bij hem op bezoek is geweest. Maria, in haar persoon ziet hij veel van Jetta. Jetta, een verre schim uit het verleden. Bij het stille licht van de kaars blijft hij lang en onbewegelijk zitten.

HOOFDSTUK 9

Kerstmis behoort alweer tot het verleden, en de dorpers zijn met hun wel en wee in het nieuwe jaar beland. Januari zet in met zware sneeuwbuien, een scherpe oostenwind en strenge vorst. s Nachts daalt het kwik tot tien graden onder nul, en overdag komt de temperatuur niet boven het vriespunt. Kortom, januari houdt mens en dier in een ijzige greep, en dat wordt klagen en kliemen.

Bertus Lamoen, het varkensboertje aan Terdiek, moet s morgens vroeg het drabbige varkensvoer in een ijzeren vat boven een vuurtje ontdooien. En Kobus Korthals zit alle dagen noodgedwongen thuis, want met een aanhoudende vorst is het ramen zemen uit den boze.

Wie ook alle dagen mopperen, zijn de chauffeurs van broodfabriek Staal, onder wie Lieuwe Mandemaker. Op voorhand ligt er een steekschop in de bus, want beter mee verlegen dan om verlegen. De felle oostenwind blaast zijn wangen bol en vormt in de kromming van de dijk een hoge sneeuwwal, en in de verwarmde cabine ontsteekt Lieuwe de autolampen, en het gelige licht schiet als een kegel over de dijk. Met zijn neus bijna tegen het glas, strak turend in de witte mist, lucht Lieuwe zijn hart. Ik verdom het langer, da s geen rijden, en dat voor die paar klanten, en als het Steef Staal niet zint, kruipt hij zelf maar achter het stuur. Lieuwe, die het van alle chauffeurs het zwaarst heeft. Hij rijdt de verst gelegen route, achter in de polder, en heeft al een paar maal pal in de kromming van de dijk de wielen van de broodbus — die tot hun as in de sneeuw waren weggezakt — met kracht moeten uitgraven.

Toen was bij Lieuwe de maat vol, hij liet de klant klant, keerde terug naar de fabriek, en stapte met de smoor in zijn grofbonkige lijf het kantoor binnen en viel met de deur in huis. Steef Staal, luister.

Steef keek op van de bestellijsten naar zijn stoere chauffeur. Van niemand zou hij dit pikken, zelfs niet van Mans, maar Lieuwe is anders. In hem ziet hij — Steef — iets van zijn eigen karakter, want hoe vaak ligt hij de laatste tijd niet met zijn vader in de clinch? Hij schoof de lijsten opzij en zei: Laat horen.

Lieuwe liet het horen en nam geen blad voor de mond: Ik verdom het langer, daar bezorg ik geen brood meer, die dijk is niet te berijden, sneeuwhopen en spekglad.

Steef, zich enigszins ergerend aan Lieuwes optreden, viel geprikkeld uit: Weet wel, het zijn onze klanten.

De klere met die klanten, grauwde Lieuwe. Als het ze niet zint, halen ze hun kuchie zelf maar.

Steef trommelde met zijn vingers op het bureau, hij begreep Lieuwes bezwaar maar al te goed. In wezen was daar te rijden geen doen, en het was nog een wonder dat-ie het zo lang had volgehouden. Plots opperde hij een plan: Neem een bijrijder mee, voor het geval dat

Hallo, grijnsde Lieuwe. Nou hoor ik je, waar plukken we die zo gauw vandaan?

Da s een waarheid als een koe, dacht Steef. Een bijrijder, jawel, al maanden kampt hij met een personeelstekort. Plots flitste een gedacht door hem heen, als dat zou lukken Nog dezelfde avond viel hij bij Liefdegeest binnen, vertelde hem het hele verhaal, legde de situatie uit, en eindigde zijn relaas met de vraag: Heb je een rijbewijs?

Je weet wel beter, antwoordde Liefdegeest op kalme toon. Maar ik weet wel een oplossing. En rijden, en brood bezorgen, da s niks gedaan. Lieuwe blijft achter het stuur, en ik bezorg het brood. In deze weersomstandigheden is twee man op de bus beter dan n. En ga je d r mee akkoord, ben ik morgen je man.

Hij ging ermee akkoord, wat moest-ie anders? En sinds een week zit Liefdegeest als bijrijder op de broodbus en assisteert Lieuwe zo goed als hij kan, hoort met gemengde gevoelens diens gemopper aan, en zegt met een zijdelingse blik op die stoere bink naast hem: Jij met al je gemopper, het wordt er niet beter door.

Nee, grauwt hij, maar het lucht wel op. En op een ander toontje: Vertel s, Peer, waarom ging je op Maria s uitnodiging niet in? Of bleef je liever in je eentje in je vrijgezellenkot?

Ach, hij haalt zijn schouders op, heen ga je, terug moet je, en het is nogal een tippel naar het dorp.

Het was voor Maria ook een hele tippel, weet je nog? antwoordt hij stroef.

Maria, ze springt op zijn knie, hij voelt haar lichaamswarmte door zijn kleren. Een leven zonder haar, hij moet er niet aan denken. Hij legt zijn vingers onder haar kin, tilt haar gezicht naar zich op, kijkt in

een paar donkere ogen en zegt: Voor de dag ermee, wat zit je dwars?
De bloemenzaak?
Je weet wel beter, die loopt als een trein.
Dus de schoen wringt ergens anders.
Ja.
Wel, meid, zeg het dan.
Ik weet niet hoe te beginnen.
Hij schiet in de lach. Bij het begin.
Ze springt van zijn knie. Ach, laat ook maar.
Hij bemerkt haar nerveusheid, pakt haar hand, trekt haar weer naar zich toe en dwingt: Voor de draad ermee.
Ik wil een kind. Zo, het is gezegd, en hij staat paf. Zijn vrouw die een kind van hem wil, en wat wil hij? Als het komt, is het goed, als het niet komt is het nog beter. Hij denkt daarbij aan zijn vader, die met een ondeugende knipoog tegen hem zegt: Wanneer word ik s opa, of versta je dat kunstje niet?
Hij, door die woorden bitter geraakt, norst: Luister pa, da s een zaak die mij en Maria aangaat, hou je d r buiten.
Zijn vader, geschrokken: O, eh nou, bijt niet.
En Maria zegt: Hoelang zijn we nu getrouwd, Lieuwe? Drie, vier jaar?
Hij, nerveus omdat ze hem die vraag stelt, valt quasiluchtig uit: Bid een extra Weesgegroetje, wie weet
Even kijkt ze hem onthutst aan, en schril schiet haar stem uit: Ik ben vierendertig, en jij gaat naar de veertig
Hij, met een onverschillig lachje: Wat wil je daarmee zeggen, dat ik of jij of dat ik als zeeman Kom zeg.
Dat zijn je eigen gedachten. Hoewel het zou kunnen.
Hij schrikt, denkt zij, gekweld door eigen teleurstelling, dat hij ?
Hij, die in welke haven ook altijd aan boord bleef. Tot op die ene avond, waarop hij haar leerde kennen, en wist: dat is de vrouw die mijn leven zal vullen, en trouwde haar zonder meer. Pas veel later vertelde ze hem haar achtergrond, al vroeg hij er niet naar, maar zij stond erop dat hij het zou weten. Een weten dat hij nu in diepe gekrenktheid tegen haar gebruikt. Koud en onverschillig valt hij tegen haar uit: Een zeeman, h , die zijn kracht verdoet in elke haven, maar

130

naar wat jij mij vertelde, steek je hand s in eigen boezem.

Da s gemeen van je, stuift Maria op. Om dat tegen me te zeggen, elke maand werd ik inwendig onderzocht.

Hoe? bijt hij terug. Door je pooier of door een arts?

Bij Maria sloegen de stoppen door, voor hij erop bedacht was gaf ze hem een klinkende klap in het gezicht, al snauwend: Daar, ik zal je leren zo over mij te denken.

Een ogenblik is hij verbijsterd, zo kent hij haar niet. En diep gegriefd blaft hij terug: En jij dan over mij?

In een vloed van tranen kijkt ze naar hem op, al mompelend: O, lieve Lieuwe, het spijt me zo.

Hij begrijpt het. Maria is jammerend en machteloos in haar moederlijk verlangen. Hij legt zijn hand op haar schouder en troost: Kom, kom, zo erg is het nu ook weer niet. En komt er geen kind, dan hebben we elkaar nog.

Ze glimlacht heel even, trekt zich van hem terug en zegt: Wat dan nog? Bij mij in de winkel of op straat, altijd vrouwen met kinderen, en ik, wij

Houd er nu over op, h? Hij trekt haar weer naar zich toe: Wat denk je nu, dat ze allemaal gelukkig zijn alleen omdat ze kinderen hebben? Soms is een kind hebben erger dan geen kind. Hij wacht even, ziet hoe zij haar tranen droogt en naar hem luistert. Ze moest s weten hoe hij in het begin Al sprak hij er niet over, wel dacht hij. Hij, een goedbetaalde baan, zij de bloemenwinkel, misschien dat beiden zich over dat gemis zouden heen zetten. Wat Maria betreft, nu weet hij beter. Kijkt haar aan en zegt: Denk je s in, als n van ons beiden de ander moest missen, zou dat niet veel erger zijn?

Ze drukt zich tegen hem aan, legt haar hoofd op zijn schouder: Niet zo praten, Lieuwe. Als jij, dan o, ik zou niet meer kunnen leven.

Hij lacht. Tot mijn honderdste zit je met me opgescheept. En hij denkt: godzijdank, de bui trekt over.

Buiten trekt de bui niet over. De oostenwind trekt aan en uit een grauw wolkendek dwarrelen de vlokken gestadig naar beneden, de ramenwissers flitsen heen en weer, maar het haalt niets uit, de sneeuwvlokken hechten zich aan het raam, en Lieuwe bromt: Die vlijtige liesjes hebben ook niks om het lijf.

Vlijtige liesjes? herhaalt Liefdegeest. Je bedoelt?

Liefdegeest, al een week dat hij als bijrijder bij hem op de bus zit. Liefdegeest, prettig gezelschap, altijd kalm en bedaard, hij praat de oren niet van je hoofd, en voor hij iets zegt, denkt hij er goed over na. Lieuwe: De ruitenwissers.

Liefdegeest: En die noem jij vlijtige liesjes? Ik zou er niet op komen, of heb je dat uit een boek vandaan?

Hoor daar, hij en lezen! Ja, de krant en wat vakbladen, maar een boek, dat lijkt hem een opgave. Zeg Liefdegeest, vertel s, hoe kom je toch aan al die boeken?

Wat moet hij nu zeggen, van de Abt en broeder Dominicus, beter daarover te zwijgen. Een blik opzij naar Lieuwe, een harde werker, goudeerlijk, hart voor zijn vrouw, maar geen intellectueel, en zegt: Veel gekregen en veel gekocht, hier en daar op een boekenmarkt.

Verbazing: Jij? Van een boekenmarkt?

Ja, en waarom niet? Trouwens, ik hou van lezen.

Ja, dat moet wel, want als je Mans hoort: Alles boeken, waar je ook kijkt.

Vind je het goed als ik een saffie opsteek? Liefdegeest haalt uit zijn broekzak een pakje shag tevoorschijn. Moet hij nu zeggen: Steef Staal is daarop tegen. Ja, in die bussen van toen, maar deze nieuwe brood-bus met afgesloten cabine, die heeft airco, maar om die aan te zetten met dit pokkenweer, geheid krijg je het voor je kiezen, maar ok , voor die ene keer, en zegt: Nou vooruit, voor een keer en daarbij blijft het.

Liefdegeest rolt een sigaretje, steekt de vlam erin, inhaleert en zegt: Maak je niet ongerust, ik ben geen straffe roker, het blijft bij deze ene keer.

En Lieuwe zegt plots: Vertel s, Liefdegeest, het praatje gaat dat jij in het buitenland hebt gewoond.

Er gaat een schok door hem heen, de dorpstamtam. Ze weten niks, raaien en gissen, en toch Hij blaast een rookwolk uit, kijkt door de grijze walm naar Lieuwe en zegt bedachtzaam: En jij gelooft dat?

Geloven en geloven zijn twee verschillende dingen, zegt Lieuwe. Ik heb het van horen zeggen.

Hij slaat een blik opzij. Liefdegeest, die meer en meer in het dorp wordt geaccepteerd, maar nog altijd met die geheimzinnige waas om zich heen. Liefdegeest, hij neemt nog s een trek van zijn sigaretje, verhip, ziet hij het goed, trillen zijn vingers? Plots heeft hij met de man te doen en zegt: Als je alles moet geloven wat ze zeggen Weet je, toen wij hier pas waren, Maria en ik, zijn we ook aardig over de hekel gegaan, en dan denk je wel s.

Maria, een steek door zijn hart. Maria, voorheen een prostituee, veroordeeld en in de gevangenis gezeten. Maria, lid van de congregatie Het Heilig Hart. Maria, die zich inzet voor de allerarmsten. Maria, zijn vrouw, die een kind van hem wil. En hij — Lieuwe — koestert hij ook die verlangens, deelt hij dat met Maria? Een kind van hen beiden?

Zijn blik glijdt weer naar Liefdegeest, er gaat vertrouwen van hem uit, iets goedmoedigs, de man neemt een trek van zijn sigaret, kijkt stilletjes voor zich uit, een blik waarin weemoed ligt, maar ook verlangen. Plots voelt hij behoefte tot praten, en zegt: Weet je hoe ik Maria heb leren kennen? Hij vertelt en vertelt, en heeft het gevoel of het zijn hart oplucht.

En Liefdegeest luistert, hij kan luisteren. Als Lieuwe zwijgt, kijkt Liefdegeest hem meewarig aan, al wat hem daar in vertrouwen wordt verteld, daar hoort hij niet van op, hij kent de cultuur van die landen, en de aard en mentaliteit van de bevolking, als jonge kerel heeft hij jaren in die landen rondgezworven. Volop avontuur en mooie vrouwen, en opeens was daar Jetta. Jetta, die, toen hun wegen scheidden, tegen hem zei: Onze tekortkomingen zijn vaak groot, ook die van jou en mij, maar geven ons niet het recht het leven te vervloeken.

Het leven dat hij — Peer Liefdegeest — tussen zijn vingers heeft laten wegglippen. En zachtjes gaat hij op Lieuwes praat in: Wat je me daar vertelt, daar hoor ik niet van op. Ik ken daar de cultuur, maar bovenal de aard en mentaliteit van de bevolking, vooral op het platteland. Daar tellen de tradities dubbel zo zwaar. En als je zoiets meemaakt als Maria, blijft de familie haar toch zien als de schuldige, soms tegen beter weten in, maar ze is en blijft de schandvlek en wordt verstoten, en met haar nog zovelen, en waar belanden die vrouwen? Meestal in de prostitutie, en ze gaan daar door een hel, daarop is Maria geen uitzondering.

Er zweeft een beeld door zijn denken. Broeder Dominicus, in een bruine pij en blote voeten in sandalen. Broeder Dominicus die, toen het stukliep tussen hem — Peer — en Jetta, tegen hem zei: God kent de menselijke deugden en hun gebreken. En als er vergeving is, zal er genezing zijn, kan de weg naar herstel beginnen, en dat geldt voor ieder mens. Het is mooi gezegd door die oude monnik. Maar naarmate de tijd verstrijkt, vraagt hij — Peer — zich af: is dat de werkelijkheid of is juist de ervaring de som van onze fouten? En zal er voor hem — Peer — nog genezing zijn? Hij wacht al zo lang.

Buiten dwarrelen de sneeuwvlokken neer over stad en land, en leggen een wintertapijt, en Lieuwe gromt: Pokkenweer.

En Liefdegeest zegt: Maria is een brave vrouw, wees lief voor haar. Een snelle blik opzij, Liefdegeest die hem dat zegt, en in die week waarin ze samenwerken lijkt het wel of er iets vertrouwds tussen hen is gegroeid, en Lieuwe zegt: Alsof ik dat niet weet. Dat geharrewar van laatst wil hij vergeten, da s een bagatel op het grotere geluk dat beide kennen, het opgaan in elkaars liefde en verlangen. Maria, vanavond zal hij haar in zijn armen smoren, en al wat daar op volgt.

Over links gloort een flauw lichtschijnsel, da s De Willemshoeve. Vrouw Willems is de gemoedelijkheid zelve en klaar voor een praat, maar vandaag is die eer weggelegd voor Liefdegeest, daarna nog twee klantjes, en wat zal hij blij zijn dat-ie het heeft gehad. Zijn handen omklemmen het stuur, en krampachtig bedwingt hij zijn zenuwen, hij moet bij zijn positieven blijven en veilig thuiskomen bij Maria Plots een zachte schok, hij weet genoeg, de bus boort zich in een sneeuwwal. Een luid ketterende vloek, en Liefdegeest stelt rustig vast: Dat wordt weer uitgraven.

In het licht van de koplampen zijn beiden ruim een halfuur bezig, en Lieuwe, met de smoor in zijn lijf, neemt zich voor — want dit gebeurt hem voor vandaag voor de tweede keer — hij zal toch nog s met Steef praten, want bijrijder of geen bijrijder, hij geeft na vandaag er de brui aan. Liefdegeest graaft dapper mee, zijn rossige vlasbaardje wappert in de wind, zijn gezicht tekent scherpe groeven. Liefdegeest is nog een krasse ouwe kerel. Doch als hij naar hem kijkt, er huist geen vreugde in de man. Liefdegeest, is hij geslagen door het leven? Liefdegeests wangen zien blauw van de kou en hij raadt: Klauter jij maar

134

in de auto, de rest doe ik zelf wel.

H , h , het leven is me wat, verzucht Liefdegeest, blazend op zijn koude vingers als Lieuwe weer bij hem in de auto klautert. Ik zeg maar zo, een witte kerst is mooi, maar het wintertje moet niet te lang duren. Enfin, nog twee klantjes, dan hebben we het gehad.

Lieuwe denkt heel wat anders, het zit hem tot hier. Met zijn neus bijna tegen het glas aan en starend in de lichtkegel van de koplampen gromt hij: Klant of geen klant, we gaan naar huis.

Je krijgt geheid ruzie, waarschuwt Liefdegeest. Dat begrijp je toch wel.

Dat moet dan maar, klinkt het bitter. En de reden waarom, dat begrijpt Steef Staal bliksems goed. Toch zitten die woorden hem niet zo lekker. Steef, die hem — Lieuwe — met de koop van die bloemen-zaak niet in de steek liet. En wat doet hij tegenover Steef, en dat voor twee klantjes? Maar alle dagen die afmattende rit, hij voelt zich moe, uitgeput. Enfin, voorbij die bocht, dan nog achthonderd meter, dan zijn ze bij de afrit, links ligt het bedrijf van Bertus Lamoen het var-kensboertje, en net als Eef Dompers een trouw afnemer van het dage-lijks overgebleven brood. De een voor zijn varkens, de ander als kouwe bakker.

Goddank, ze zijn er. Langzaam rijdt hij verder, liever gezegd, ze glij-den, en hij merkt op: Ik zal blij zijn als we thuis zijn.

Ga je m knijpen, bromt Liefdegeest. Je laat de moed toch niet zak-ken?

Plots raakt de bus in een slip en schiet schuin over de weg.

Hou je vast! roept Lieuwe. Ik kan hem niet houden. Als een tol draait de bus in het rond, schiet het erf op van Keppel, en gaat dwars door de deur van het nieuwe kippenhok. De klap dreunt door tot in het woonhuis, waar Dirk samen met zijn vrouw aan een bakkie leut zit.

Trien schiet met een luide gil overeind, want het is me toch een slag, en stamelt: Da s vast een auto.

Dat hebben we meer bij de hand gehad, herinnert Dirk zich en hij doet een greep naar de zaklantaarn. En je moet maar denken, de ver-zekering betaalt.

As d r maar geen dooie benne, stamelt ze. As t zo is, wil ik ze niet zien.

Bel jij alvast de dokter maar, raadt hij aan. Zo te horen is het wel nodig. Hij schiet in zijn overal.

En of het nodig is. Liefdegeest, verdwaasd door de slag, komt uit het wrak gekropen. Ondanks de autogordel is hij met zijn gezicht door de voorruit geslagen en hij bloedt als een rund.

Dokter Hagens — met angst voor eigen leven met die gladheid — komt even later het erf op getuft. Als hij uitstapt, overziet hij in een oogopslag de situatie: de nieuwe broodbus in de kreukels, de schuurdeur aan splinters, en als al die snee n in Liefdegeests gezicht gekramd zijn, zal er van zijn dagelijks uiterlijk niet veel overblijven. En Lieuwe Mandemaker? Diens leven is uitgeteld, dat ziet zijn doktersoog zo al, voor hem kan hij alleen het postmortum opschrijven.

Met een pincet peutert hij de ergste glasscherven uit Liefdegeests gezicht en bromt: Je hebt meer geluk dan de chauffeur, mon ami. Helaas, voor hem kan ik niks meer doen. En met een grauw: Wie haalt het ook in zijn zotte kop met dit weer over die spekgladde dijk te rijden?

Liefdegeest, door pijn en schrik van het gebeuren nog steeds totaal verbijsterd, mompelt: Twee klantjes, dokter. We moesten nog maar twee klantjes.

Kiezen op mekaar, bromt dokter Hagens. Dat ik die scherf uit je wang pulk. En dank God dat je je beide ogen nog hebt. Je kan wel stellen: da s een geluk bij een ongeluk.

HOOFDSTUK 10

Steef bladert in een folder van bestelauto s, waarin de een nog mooier dan de ander, en leest: *Sensationeel voordeel voor snelle beslisser, dan krijg je een gratis ijskrabber en profieldieptemeter cadeau.* Jawel, voor de snelle beslisser, en ondanks dat de verzekering de dagwaarde van de verloren bestelwagen binnen een maand had uitbetaald, is het er nog niet van gekomen een nieuwe bestelbus te kopen. En de reden: hij — Steef — voelt zich schuldig aan de dood van Lieuwe Mandemaker, en ook Ant denkt zo. Ze was hem krijsend aangevlogen toen hij hun persoonlijk het vreselijke nieuws kwam vertellen. Ant, ze wil hem niet meer zien, ze heeft hem het huis gewezen, en daar kan hij inkomen. En ook Goofs goedige grijze kop rimpelde dieper in zijn verdriet om Lieuwe, en om zijn zorg om Ant. Verdrietig had Goof voor hem gestaan, zijn hoofd geschud en gezegd: Ook ik ken m n verdriet om Lieuwe, maar het lot keer je niet. Maar Ants verdriet ligt gestold in een strakke onverschilligheid tegen alles en iedereen, dat baart me zorgen, en ik weet niet meer wat ik moet doen om het haar lichter te maken.

Hij, achteroverleunend in zijn bureaustoel, zag Goofs vermagerde, verdrietige gezicht, zocht naar woorden van troost, vond ze niet, keek strak in het licht van de bureaulamp en wachtte af. Ja, waarop? Strak bleef hij in het licht staren, daarna weer naar Goof, zag niets, alleen witte stippen die voor zijn ogen draaiden, en worstelde met het besef: Ant heeft gelijk, hij — Steef — gaat niet vrijuit aan dit vreselijk gebeuren. Een weten dat uitgroeide tot een gevoel van gewetenswroeging, waarin de vraag: hoe kan ik het ooit goedmaken? Het antwoord hierop bleef hij schuldig, en op Goofs praat ingaand wist hij niet beter te zeggen dan: Maria is er toch?

Goof: Nou hoor ik je. Maria.

Het is toch zo? ging hij erop door. Alle dagen staat ze bij jullie in de winkel.

Ja, ja, antwoordde Goof, met tranen in zijn ogen. Maria, alle dagen. Hij draaide zich om en liep het kantoor uit. En hij — Steef — met het beeld van Lieuwe op zijn netvlies, worstelde met een gevoel van diepe verlatenheid.

Hij wrijft met zijn hand langs zijn voorhoofd, weg met die herinnering, maar of het hem lukt, en vestigt zijn aandacht weer op het lezen, en weer de zin: *Een slimme ondernemer* Maar is hij wel zo n slimme ondernemer, die met spiegelgladde wegen zijn chauffeurs de weg op stuurt? Zijn credo: *De klant gaat voor alles*. Denkt hij er nu nog zo over? Een slimme ondernemer, die vorige week opnieuw een contract heeft afgesloten met een keten supermarkten. Hij had zich tijdens het onderhandelen als het ware de blaren op zijn tong gekletst, en zijn poot stijf gehouden, als hij er nog wat aan wilde verdienen. Want o, o, slimme managers die daar de boel runnen. Maar uiteindelijk was het hem gelukt, tot volle tevredenheid aan beide kanten.
Pa, in de wolken, hij ontkurkt een fles champagne en prijst: Een goeie deal, mijn zoon , en reikt hem het glas.
 Sant , dat er nog vele contracten mogen volgen, en doe je best, je vader staat achter je.
Pa nipt weer van zijn glas, klokt het edele nat in een keer achterover, laat zich tevreden in een crapaud zakken, grabbelt in het sigarenkistje, snijdt de punt van de sigaar, steekt hem op, legt zijn ene been over het andere, knikt hem vriendelijk toe en zegt: Dat heb ik toentertijd toch maar goed geschoten, in deze regio een broodfabriek op poten zetten. Werk voor al die heikneuters, en wij varen er wel bij.
Pa, het beursmannetje met zijn slinkse streken van koop en verkoop van aandelen. Pa, die zegt: Als je het slim speelt, ligt het geld voor t grijpen , en met een spottend lachje: Maar niet voor die boerenheikneuters, die met tellen niet verder komen dan twee en twee is zes.
Pa, in zijn nieuwe maatkostuum dat hem deftig staat. Pa, de gevierde man onder zijn beursvrienden. Pa, die in eigentrots zwelgt, dat hij hier in de regio zo veel monden openhoudt, en tegelijk hen allen schaart onder die stomme heikneuters . Pa, met zijn kleineren en vernederen. Grimmig was hij opgestoven: Weet wel, al die stomme heikneuters houden de fabriek draaiende.
Pa, heel bedaard: Kom, kom, maak er geen drama van, pak liever nog een borrel.
Pa, de laatste tijd is hij veel thuis, leest, of snuffelt in oude papieren, zit soms peinzend bij de haard in de vlammen te staren. En

nu hij — Steef — erover nadenkt, pa en de mooie vrouwtjes, de laatste tijd merkt hij d r niet veel meer van. Pa en hij, vader en zoon, maar dat is het dan ook, een band tussen hen is er niet, ook nooit geweest.

Hij slaat het blad om, concentreert zich weer op het lezen, bestelauto s in allerlei kleuren. Dat lijkt hem een goeie auto: Transit-Connect. Zilvergrijs, 66 K, TDCI-motor met roetfilter Wacht even, je kunt ook leasen. Nee, kopen lijkt hem beter. Toch s met zijn vàder over praten, die bestelwagen moet er komen, hoe dan ook, en geen uitstel meer.

De kamerdeur gaat open, pa komt handenwrijvend binnen: t Is hier beter dan buiten.

Hij kijkt op van de reclamefolder: Dat noemen ze hier voorjaarskoud.

 Noemen ze dat zo? Zijn aandacht richt zich op zijn zoon, die snuffelt weer in een of ander vakblad over auto s. Het is dan ook wat, een nieuwe bestelauto die in de prak wordt gereden. Zo, zegt hij dan. noemen ze dat voorjaarskoud. En pal daarop: Zijn er brieven voor me?

Verbazing. Brieven? Hoezo brieven?

 Nou, het zou kunnen, jij was als eerste thuis.

 En daarom zou ik Klets, je krijgt nooit brieven, wel een dagelijkse krant.

 Waarom een ander wel, en je vader niet?

Ja, waarom niet? Pa, hij krijgt wel s een ansicht van een of ander hupsakeetje. Pa, hij staat nog steeds handenwrijvend bij de haard, en plots in hem — Steef — het onbehaaglijke gevoel of daar een klein bangelijk mannetje staat, midden in de grote, voorname huiskamer van het notarishuis.

 P a

Ja? Brakel spookt door zijn kop, maar vooral die aandelen die steeds verder zakken in waarde, en Brakel die er rustig overheen praat: Maak je toch geen zorgen, kerel. Ik zeg maar zo, rustig blijven zitten en je laten scheren.

 We moeten praten, pa.

 Praten? Waarover? En, wijzend op de reclamefolder: Daarover?

139

Vooruit dan maar, het moet gezegd, hij vat moed: We moeten een nieuwe bestelauto.

Nadat die vorige in de prak is gereden?

Het was een ongeluk, pa.

Net wat je zegt, een ongeluk, dus ik neem aan dat de verzekering de schade dekt.

Niet helemaal, de bestelauto die ik op het oog heb, kost een paar duizend meer.

Welja, een paar duizend, alsof je een vat leeggooit. Zijn wenkbrauwen fronsen zich in diepe zorg, of liever gezegd: in angst. Brakel De beurs Hij had niet naar die man moeten luisteren. De eerste tijd ging het heel goed. Koop en verkoop van aandelen, grote winsten, een vette bankrekening, geen zorg. Opeens tegenwind, stuk voor stuk kelderen de aandelen, en de laatste weken is er geen houden meer aan. En Brakel ziet het als een bagatel en blijft er cynisch over. Daarentegen knijpt hij hem als een ouwe dief, en als het zo doorgaat, hoe dat aan Steef uit te leggen?

Steef, opgegroeid zonder kommer en zorg. Academisch opgeleid en nu een prachtjob. Directeur van een broodfabriek. Steef, hartelijk, praktisch, verstandig, arbeidzaam, niet buitengewoon gevoelig, een dure sportauto, en materieel tevreden.

Maar ook: Steef, hard en weinig voelend, en geen enkele interesse in alles wat met de beurs van doen heeft, in dat is Steef net wijlen zijn moeder. Dol was hij — senior — op zijn vrouw geweest, niets was te mooi of te goed voor haar. Hij verwende haar aan alle kanten, tot ze zich met zijn zaken ging bemoeien, zich volop verzette tegen zijn werk op de beurs, alles koud en koel bekritiseerde en hem uitmaakte voor een ordinaire gokker. Dat was de eerste scheur in hun huwelijk, wat steeds erger werd naarmate de jaren verstreken, en op den duur verzandde, en hij buitenshuis zocht wat hem thuis niet meer werd gegeven. Steef stond in die dagen naast zijn moeder, zag in alles de schuld van zijn vader. Steef, die hem tot op de dag van vandaag dat nooit heeft vergeven.

Steef die weer begint te zaniken over die auto, wat moet-ie tegen hem zeggen Luister s, jongen, de dagen zijn niet meer zo zonneklaar als voorheen.

En Steef kletst maar door: auto zus, auto zo, en of pa het goedvindt dat-ie over die Transit-Connect een offerte opvraagt. Met het verzekeringsgeld erbij hebben ze niet zo veel bij te betalen.

Nee, pa vindt het helemaal niet goed, die heeft kopzorgen over het kelderen van zijn aandelen, vandaag de dag kost het alleen maar. Narrig valt hij uit: Waarom ben je ook zo stom geweest die Mandemaker met zulk weer de weg op te sturen?

Mandemaker, de naam blijft haken Bloemen van het personeel, een krans van de fabriek, een leven uitgewist, een troostend woord, een rusten in vrede en het leven gaat weer zijn dagelijkse gang.

Waarom? Denk s door, pa. Weer of geen weer, er moet brood worden bezorgd.

Denken? Het denken laat niet af, zijn hersens worden er suf van, en Steef kakelt maar door over die auto. En hij zegt: Kun je het bezorgen niet verdelen over die andere chauffeurs? Dat lijkt me zo n groot mirakel niet.

Mij wel, klinkt het kort, en tikkend op de folder: Kijk hier, deze auto.

Het plaatje danst voor zijn ogen: Ja, ja, ik zie het, een prachtkar, maar het is en blijft een flinke uitgave.

Steef voelt ergernis: Kom, kom, pa, de verzekering betaalt het meest.

Ja, vertel hem wat, maar met het kelderen van zijn aandelen Zuinigheid is geboden, en hij die vroeger dacht: als alles loopt zoals het loopt is het een pracht en kan het niet stuk. Maar nu komt er een nieuw tijdperk, van hoofdbrekens, het overwegen van het een doen en het ander laten, met op de achtergrond de beeltenis van Brakel, een van zijn vele beursvrienden waar hij hoog tegen opkeek, maar nu voelt als een benauwenis des te meer.

Nou, pa, wat doen we?

Da s een goeie Hij zucht en zegt: Als het alleen die auto was, maar een beetje zuinig aan, h ? De laatste dagen hebben we nogal tegenwind, enne Hij zwijgt, ziet de begrijpende blik van Steef en woedend klinkt het: Als ik het niet dacht, jij met dat verdomde gegok, daar heb je moeders leven mee verpest, en straks het mijne erbij. Wat bezielt je toch?

Zover is het nog niet, en praat niet zo min over je vader, het mag wezen zo het is, maar jij hebt er een broodfabriek aan overgehouden.

Jij, niet ik. Al ben ik in de ogen van velen de eigenaar.

Een afwerend handgebaar: Wat maakt dat uit, Staal senior of Staal junior, het blijft in de familie.

Eerst zien, dan geloven. In het verleden hebben moeder en ik al zo veel met je meegemaakt. Weet je nog hoe ze over je dacht? Jij, een gokker.

Kan zijn, geeft hij ruiterlijk toe. Maar jullie zijn d r nooit aan tekortgekomen.

Nee, antwoordt hij moeilijk. Da s waar. Vader, een gokker en een gulle gever. Vaders motto: carpe diem.

Nou, vooruit, bestel die auto maar. Ik leg de rest wel bij, en zie het als een cadeautje van je vader. Dan, afgemeten: Je zal niet zeggen dat je vader een knijperd is.

En je hebt gezegd antwoordt hij verbaasd.

Ja, ik heb Plots pa s hand op zijn arm, diens ogen dichtbij, en om zijn mond — die alles zo makkelijk weglacht — een trek van pijn. Je vader een gokker dat doet pijn, jongen, dat moet je niet meer zeggen. En ik zal proberen Hij zwijgt, bijt op zijn lip, lijkt overmand door emotie, heeft zichzelf weer in de hand en vervolgt: De begeerte naar meer was sterker dan ikzelf en je moeder ben ik erdoor kwijtgeraakt. Soit, het zij zo. Maar jou wil ik niet verliezen, begrijp je, jongen?

Hij zwijgt, zijn vader die smekend voor hem staat. En hij — Steef — strijdend met zichzelf en zoekend naar een hartelijk woord, staat met een mond vol tanden. Jarenlang zag hij zijn vader die met zijn levensstijl het leven van zijn vrouw onmogelijk heeft gemaakt. En met afgewend gelaat zegt hij: Verwacht van mij daarop direct geen antwoord, pa. Daarvoor staan we te ver van elkaar af.

Pa knikt: Ik begrijp het, ik overval je d r mee. Je vader die zijn geld inzet op de beurs, het is als een virus. Je wordt erdoor besmet. Maar ik zal proberen dat ik maar gun me de tijd daarvoor. Zijn stem pleit, vraagt om begrip.

En in Steef een gevoel van pijn en ergernis tegelijk. Altijd heeft hij tijdens ruzie tussen zijn ouders voor zijn moeder gekozen en was vader de boeman. En nu zijn vader zo onderworpen voor hem staat en smeekt om begrip, verandert er opeens iets in hem en stelt hij zich de vraag: ondanks dat zijn moeders leven naast dat van zijn vader moeilijk is geweest, heeft ook zijn vader in haar vrouw-zijn veel moeten missen. En zachtjes zegt hij: Ik zal — net als jij — het proberen.

Pa, die zijn hand grijpt en zegt: Goed, m n jongen, we moeten elkaar een eerlijke kans geven.

Pa, hij pleit voor hen beiden, en hij — Steef — die zich daaraan vastklampt, en weet dat ondanks alle strubbelingen de zoon niet buiten zijn vader kan.

De pendule slaat drie uur, en ouder gewoonte komt Roelfke met de thee binnen. Roelfke Koning, een stevige boerendeern uit het achterliggende polderland en een verademing na al die vorige hupsakeetjes die zich in de belangstelling van Staal senior konden verheugen. Heel anders lag dat met Staal junior, die was beleefd, correct, koel en afstandelijk, en beantwoordde niet aan het ideaal zoals zij in hun fantasie de man zagen.

Tot op een dag, hij kwam net thuis, pa kribbig uit zijn crapaud overeind kwam en zijn hart luchtte: Niks gedaan met dat jonge spul, het is maar giebelen en geintjes, maar handen uit de mouwen steken, ho maar. Pa, zichtbaar ge rriteerd, telde af op zijn vingers: E n: ze kookt abominabel. Twee: is om de veertien dagen ziek. Drie: strijkt mijn overhemden niet goed. Vier: laat de boel in het honderd lopen.

Hij, verwonderd: Naar eigen zeggen vind je het zo verfrissend, een jonge meid om je heen.

Niet meer, klink het nors. Dat jonge spul, ik ben het meer dan zat. Plaats maar een advertentie voor een degelijke huishoudelijke hulp.

Dat heeft hij gedaan, en sindsdien runt Roelfke Koning in huize Staal het huishouden. Roelfke, een vrije meid van even in de dertig. Blond, blauwe ogen, kalm en opgewekt. Het zal wel lukken, dacht hij — Steef — bij de eerste kennismaking, en toen zijn vader daarin geheel meeging, voelde hij het als een opluchting: eindelijk een adequate kracht in huis.

Roelfke zet het dienblaadje op de tafel, richt zich tot Staal senior:

Wilt u een kopje thee, meneer?

Schenk maar in, kind.

Suiker en melk, meneer?

Een schepje suiker en een wolkje melk.

Alstublieft, meneer. Ze houdt hem een schaaltje voor: Ook een plakje cake?

Graag, kind. Eigen baksel? Hij leunt achterover, neemt haar belangstellend op. Roelfke is netjes in de kleren, netjes in haar praat.

Ik bak alles zelf, meneer.

Ach zo juist ja. Roelfke, kind van het platteland dat alles zelf bakt. Hij glimlacht: Dus goed beschouwd rij je ons in de wielen. Maar het moet gezegd: de cake smaakt voortreffelijk.

Een blos tot onder d r haarwortels. Dank u, meneer. Moet ze nu zeggen dat de broodfabriek met zijn goede arbeidsvoorwaarden de melkknecht van hun bedrijf heeft weggelokt? Maar tijden veranderen en haar vader kan wat dat betreft niet tegen de broodfabriek op. En zal het waar zijn wat ze laatst hoorde, dat de jonge Steef Staal wijlen Lieuwe Mandemaker toen heeft geholpen met geld voor die bloemenzaak? Ach ja, wat zeggen ze niet, het is raaien en gissen. En Liefdegeest loopt na dat ongeval met een geteisterd gelaat rond, waardoor zijn bijnaam is veranderd in moeders mooiste .

En Liefdegeest lijdt daaronder, en dat is de reden dat ze hem in het dorp niet meer zien. En Maria Mandemaker, nu weduwe, heeft zich over Liefdegeest ontfermd, ze houdt zijn huisje schoon, doet zijn wekelijkse boodschappen, en zeker een keer in de week komt Steef Staal in zijn sportauto het Zandpad op gescheurd, om Liefdegeest een hart onder de riem te steken? Niemand die het weet. Maar vorige week, wie zagen ze in het dorp? Juist, Liefdegeest, met zijn hond en in gezelschap van Steef Staal. Liefdegeest, met zijn geschonden gelaat en scheve mond, waardoor hij slist bij elk woord dat hij zegt, en smakt met het eten gelijk een varken. Liefdegeest, die eindelijk zijn valse schaamte heeft overwonnen en ingekapseld tegenover al die gluurders, en met een tikkeltje zelfspot zegt: Lieve mensen, kijk het moois niet van me af. Enfin, voor het ongeval was ik ook geen adonis.

Mag ik ook een kopje thee? De stem van Steef doet haar uit haar gedachten opschrikken. Steef Staal, over wie haar vader zegt: hij heeft het geld en wij hebben het nakijken.

Is dat zo, heeft Steef Staal de macht? De broodfabriek heeft werk in de regio gebracht, maar veel bakkers doen saneren. Steef Staal, vriendelijk en correct, en zo heel anders dan zijn vader. De oude meneer is opgewekt luchthartig en altijd in voor een grapje.

Suiker, meneer?

Geen suiker, geen melk. Roelfke, een herademing na al die hupsakeetjes. Mag ik ook een plakje cake?

Ze houdt hem het schaaltje voor, Steef Staal, ze leert hem een beetje kennen. Hoewel?

Hij pakt een plakje cake, zet zijn tanden erin. Botercake, hij proeft het direct, hoe kan het ook anders. Roelfke, een boerendochter die alles zelf bakt, een traditie die overgaat van moeder op dochter, waar vind je dat vandaag de dag nog? Hij ziet Roelfkes vragende blik, knikt haar vriendelijk toe en zegt: Die cake smaakt naar meer. En met een lach: Als het je hier na een poosje niet meer bevalt, kom je bij mij in de fabriek werken, afgesproken?

Ben je dwaas, valt Staal senior uit. En ik dan, wie zorgt er voor mij? Ze blijft hier. Punt uit.

En Roelfke merkt kalmpjes op: Werken op een fabriek, heel de dag tussen vier muren, ik moet er niet aan denken.

Dat dacht ik ook, zegt senior voldaan. En het is mooi aangeboden door mijn zoon, maar hier hoef je niet in de pas, ben je zo vrij als een vogeltje.

En Roelfke herinnert zich: Ik moet nog aardappelen schillen.

Dat heeft geen haast, lacht senior. Eten we vanavond een uurtje later.

Steef hoort in die woorden zijn vaders verering voor Roelfke. Dat roept verzet in hem op, en stug klinkt het: Kan niet, ik heb vanavond een vergadering.

Een verontschuldigend: Dat weet ik toch niet.

Nee, hoe zou u? Pa, je ziet hem nooit op de fabriek.

Pa, die tegen Roelfke zegt: Je hoort het, lieve kind, wat mijn zoon zegt.

Ja, Roelfke hoort het, en weg is ze.

In de kamer buigt senior zich over het theeblad, schenkt zich zwijgend een kop thee in, leunt achterover in zijn stoel, slurpt smakkend
van de thee en kijkt naar zijn zoon. Steef, in geen haar lijkt hij op
hem, loodzwaar in denken en doen, en in handel en wandel anders
dan zijn grijze vader, en met een meid heeft-ie hem nog nooit gezien.
O, ja, dat weduwvrouwtje van Mandemaker, naar horen zeggen
schijnt Steef daar af en toe mee om te gaan. En ook met die kerel met
dat gehavende gezicht, Liefdegeest, als-ie het goed heeft. Een over-
blijfseltje van dat ongeluk met die Mandemaker, een weten dat nog
dagelijks aan Steef vreet.
Steef, hij tuurt weer naar het autoblad, maar zijn kop eraf als dat jong
er wat van ziet. Hij schrikt van dat strak verbeten gezicht en vraagt:
Ben je d r nog steeds niet overheen, jongen?
Zullen we daarover zwijgen, pa?
Die paar woorden zeggen hem genoeg, Steef wil er niet over praten,
althans, niet met hem. Er gaat een strofe door zijn denken. Steef en
hij, vader en zoon, maar de een gaat niet op in de ander zijn belan-
gen, en voor het eerst in al die jaren is er in hem een gevoel dat veel
op verdriet lijkt. Hij wijst op de zilverkleurige bestelauto in de folder en zegt: Die bedoel je toch?
Een verwonderde blik. Daar hebben we het toch al over gehad?
Nou, alsnog, ik vraag maar.
Steef haakt erop in: Met het uitgekeerde verzekeringsgeld komen
we een heel eind.
Ja, ja, verzekeringen, vertel hem wat, hij — senior — kent die praktij-
ken. Veel halen en weinig betalen, zij de winst, jij het verlies. En hij
dan? Hij, even glad en uitgekookt als Brakel, maar net niet glad
genoeg. Brakel, de man waar hij tegen opkeek. Brakel die met zijn
listigheidjes hem altijd een slag voor is. En als-ie de moed had, zou-
ie die keren loslaten. Hij heeft die moed niet, klampt zich al luisterend aan diens advies vast, bang om op de beurs nog meer te ver-
spelen.
Brakel, Steef kan diens bloed wel drinken. En die botte geldzak, hoe
denkt hij over Steef? Hij heeft hem d r wel s naar gevraagd. Brakel
keek hem peinzend aan, schudde nadenkend zijn hoofd en zei: Beste
Staal, soms is het beter niet te denken wie we zijn, of wat we hebben

146

gedaan. Dat geldt voor jou, voor mij, en misschien ook voor je zoon, maar dat ligt in het verborgene.

Pa.

Ja. Steef gaat op hun gesprek door: Met het verzekeringsgeld erbij blijft het toch een hele uitgave.

Vertel mij wat. Hoe staat Vink & Co Houtindustrie ervoor? Hij heeft gekocht op een tip van Brakel, en als die aandelen zakken Ach, lieve God, hij moet er niet aan denken, dan breekt het zweet hem uit.

Pa.

Ja.

Als we eerst s met de boekhouder praten, hij kan ons met raad en daad bijstaan.

Raad en daad Met Brakel op zijn netvlies schudt hij zijn hoofd en zegt: Boekhouder Wat weet hij wat wij niet weten, alles draait om geld, jongen.

Kunnen we niet beter wat geld lenen? Overwaarde genoeg.

Overwaarde, of hij een klap in zijn gezicht krijgt. Hij houdt zich groot en zegt: Geld lenen kost geld, jong. Denk daar s aan.

Denken. Na dat vreselijke ongeval doet hij niet anders, komt er niet van los. Dringt opnieuw aan: Toch lijkt het me beter dat we met de boekhouder overleggen. Raad en daad komt hier van pas.

Raad en daad, edele woorden, ze haken vast in seniors oren, en hup, Brakel weer op zijn netvlies. Hij schudt zijn hoofd en zegt: Niks geen boekhouder, we lossen het zelf op, en van die paar centen die ik bijleg, loopt je vader niet mank.

Een paar centen? Het kost wel wat meer, pa . Plots denkt hij aan Maria en de bloemenzaak en aan Lieuwe, die met geld, verdiend met extra overuren voor zijn vrouw de bloemenzaak inrichtte, en hij — Steef — met eigen geld de zaak kocht, en op zakelijke basis met hen overeenkwam dat zij aan hem de zaak afbetaalden op huurkoop. En pa, die daar niks van weet omdat hij — Steef — hem bewust buiten alles heeft gehouden. Pa, die ondanks zijn grootspraak leeft op raad en daad van Brakel. En nu zegt pa Pa, met zijn edelmoedigheid. En hij — Steef — aarzelt als Brakel d r maar niet achter schuilt. Wat zegt pa nu?

Dat het wat meer kost dan een paar centen, da s mijn zaak. En doe me een lol, schuif al je bezwaren s opzij, bel die dealer op, maak een afspraak, gaan we d r samen heen. En met een olijke knipoog: Ja, ja, jongen, je vader is zo kwaad nog niet.

Hij weet geen antwoord, lacht met hem mee, voelt ontroering en zegt: Goed, pa, jij je zin.

HOOFDSTUK 11

Met tegenzin is Steef op weg naar de fabriek. Heeft hij na weken eindelijk s een dag voor zichzelf, belt de boekhouder hem op dat er alsnog een paar brieven moeten worden ondertekend. Het haast niet, vanmiddag is ook goed, en gaan ze met de middagpost mee.

Hij, moe van wekenlang het eerst in de fabriek en het laatst weg, dacht: vanmiddag dan maar. En net aan de koffie, of pa begint te zeuren over Brakel. Het was van die vent dit, die vent dat, en als je niet oppast draait-ie je een loer.

Onderzoekend richtte hij zijn blik op zijn vader en dacht: we hebben elkaar een week gezien noch gesproken, komt de een thuis, gaat de ander naar zijn werk. Pa naar de beurs en s avonds op bezoek bij Brakel. En hij — Steef — wordt opgeslokt door de drukte in de fabriek, en kampt nog steeds met personeelstekort.

En pa maar mopperen, tot het hem verveelde en hij nijdig uitviel: Laat die vent toch stikken.

Pa, roffelend met zijn vingers op de stoelleuning: Als het zo makkelijk lag.

Heb je het dan zo moeilijk? Pa, die met een grap en een grol in het kantoor van de dealer het geld op tafel uittelde voor de nieuwe bestelauto.

Nou, moeilijk, moeilijk Pa schudt zijn hoofd. Gewon, de laatste maanden zit het geregeld tegen.

Op de beurs?

Pa, met een grijns: Waar anders? Pa neemt een hap van zijn boterkoek, prijst Roelfke de hemel in, en hij — Steef — denkt: sinds Roelfke hier de pollepel zwaait, komt er geen koek van de fabriek meer in huis. Pa vindt het een pracht. Hij vindt het minder leuk.

Pa, heel gewoontjes: Schenk ons nog s een bakkie in, jongen.

Hij schenkt in: Alsjeblieft, pa. H , pa s gezicht lijkt wel vermagerd, of nee, zijn ogen staan anders, alsof ze dieper in zijn gezicht zijn weggezakt. Zou dan toch die Brakel Pa is altijd met die kerel aan zijn zij. En pa, die nu opeens zo op die man afgeeft. Plots valt uit zijn mond: Wat vit je de laatste tijd op Brakel, hebben jullie mot?

Pa neemt een slok van zijn koffie, zegt dan: Ach, over en weer een

149

paar vervelende dingen gezegd.

Wie? Jij? Of hij?

Pa, plots kregelig: Hou jij je bij de fabriek, naar wat ik hoor heb je je handen d r vol aan.

Personeelstekort, pa.

Je bent de enige niet, op de beurs hoor ik d r genoeg over.

Juist, de beurs. Alles staat en valt met de beurs. Zoveel weet hij — Steef — d r nog wel van, maar de rest Tot verdriet van pa heeft hij zich d r nooit voor ge nteresseerd. Wel in de vrije markteconomie. Maar pa zegt: Loopt dat vast, dan zit jij ook met de brokken.

Pa springt overeind van zijn stoel, is opeens enthousiast en zegt: Ik ga vandaag met Brakel een dagje uit vissen. Een verzetje, zogezegd.

Hij, onthutst: Jij? Vissen? Of-ie het in Keulen hoort donderen.

Pa, triomfantelijk: Ja, met een kotter een dagje dobberen op de zilte baren.

Van wie gaat dat uit?

Pa, met een knipoog: Wie dacht je?

Brakel.

Juist, en hij betaalt alles. Wat zeg je daarvan?

Ach zo, Brakel. Tja, wie het breed heeft, laat het breed hangen. Brakel, hij is een keer samen met pa op de fabriek geweest. Brakel met een brede glimlach, vriendelijk gebarend naar alles en iedereen. Pa dribbelend ernaast.

Brakel klopt pa waarderend op de schouder: Zo te zien heb jij je geld goed ge nvesteerd, makker.

Pa, gevoelig voor vleierij, springt in de houding. Brakel tovert een sigarendoos tevoorschijn, wil met een royaal gebaar trakteren. Hij — Steef — tikt de man op de schouder, wijst op een bordje waarop de tekst: *In deze fabriek verboden te roken.*

Brakel, met een kuchje: Ach zo, ja, ja. Neem me niet kwalijk. Stopt hem — Steef — de sigarendoos in zijn handen, tovert uit zijn jaszak nog twee dozen tevoorschijn en met een hoofdknik naar het werkend personeel zegt hij: Voor de eenvoudige zielen, trakteer ze bij het naar huis gaan maar op een sigaartje.

Brakel, de goeie gever. Pa, die hem naar de ogen kijkt. Het ligt op zijn tong te zeggen: Stik met je sigaren. Maar hij zegt beleefd: Uit naam

150

van het personeel: bedankt.

Brakel glundert, tikt hem joviaal op de schouder: Al goed, jongen, al goed.

Brakel, samen met pa, blijft heel de dag in de fabriek hangen, maakt een gemoedelijk praatje hier en daar, heeft in de kantine de grootste lol met de koffiejuffrouw. Rijdt s avonds met hem mee naar huis, blijft eten, maakt met een joyeus gebaar Roelfke een compliment voor haar kookkunst en praat met pa nog na over de fabriek, maar vooral over die sukkelaars in de fabriek. Beste mensen, stuk voor stuk, met hun goedgelovigheid kun je ze van alles beloven, ze worden d r alleen maar beter van. En, met een gulle lach: Zij hebben niets te verliezen en wij hebben het voordeel.

Die woorden bleven Steef bij. Toen Brakel ver na tienen opstapte, voelde hij het als een opluchting. Plots schoot door hem heen: wat moest die vent op de fabriek, het leek wel of hij op inspectie uit was. En pa? Verdomme, pa Scherp viel hij uit: Doe me een lol pa, neem die kerel niet meer mee naar de fabriek.

Pa ging er niet op in, dook achter de krant weg. En vandaag is pa samen met Brakel een dagje uit vissen, met een kotter op volle zee. Pa, die al zeeziek wordt als-ie onder de douche staat. Steef moet op zijn vrije dag op weg naar de fabriek. Is-ie effe blij met zijn baantje als directeur.

Hij slaat een blik op zijn horloge, zal hij even langs Maria gaan? Maria, ze werkt zich een slag in de rondte, staat Ant Mandemaker trouw terzijde, houdt haar bezoekjes aan Liefdegeest vol, en werkt op zondag d r bloemenwinkeltje door. De bloemenwinkel, na Lieuwes dood meer gesloten dan open, en hij vraagt zich wel s af, ziet hij — Steef — zijn geld ooit terug?

Maria en Liefdegeest, en de pijn die hij voelt als hij aan hen denkt. Vooral Maria. Stil had ze voor hem gestaan, toen hij haar het vreselijke nieuws over Lieuwe kwam vertellen, maar haar blik was zo leeg en wanhopig, dat hij haar naar zich toe trok, tegen zich aan drukte en telkens haar haren streelde. Stilletjes liet ze hem begaan, en hij vertelde haar ook over Liefdegeest, hoe gehavend door de glassplinters zijn gezicht d r uitzag. Maria trok zich uit zijn armen terug, vroeg alles over Lieuwe en Liefdegeest, en hij die met een vreemd leeg gevoel in zijn hoofd daarop antwoordde, en Maria die daar zachtjes op inging: Lieuwe en Liefdegeest, misschien heeft het zo moeten zijn, en wie kent het lot en de hand die je erheen wijst.

Woorden waar Steef steeds dieper over nadenkt. Maria is rooms, maar gaat op zondag naar de protestantse kerk. En de familie Mandemaker zijn protestant en gaan niet ter kerke. En volgens Goof ergert Ant zich bont en blauw aan Maria, want zij verloochent haar geloof, zij hoort thuis in de kerk met het kruissie. En hij — Steef — gelooft nergens in, hij zet zijn kaarten op de vrije markteconomie, en worstelt dag in, dag uit met een personeelstekort. Hij tuft voorbij de winkel van Mandemaker, slaat een vluchtige blik door het raam, niemand in de zaak. Het hakert in hem, Ant, ze verwijt hem openlijk Lieuwes dood. En Goof — door het personeelstekort weer terug op de fabriek — zegt onder het taartjes opspuiten door: Ant ziet het van jouw kant nog steeds als een misdaad. Maar goed, als jij alsnog met haar wilt praten, mijn zegen heb je.

Als, als Als hij toentertijd zo voor de Mandemakertjes H , daar gaat Kobus Korthals, zwaar trappend op zijn bakfiets. Kobus, een van de vele dorpsfiguren en op zijn eigen wijze eenieder met het wel en wee op de hoogte houdt, hoewel je je soms vertwijfeld afvraagt wat je d r van geloven moet en niet.

Hij stopt de auto naast de bakfiets, draait het raampje naar beneden en zegt: Morgen Kobus, al de ramen gezeemd?

Kobus glundert: Wat dach-ie, je kunt je d r in spiegelen. Steef Staal, een jofele knul, met het hart op de goeie plaats, de dorpers mogen hem wel. En ouwe Staal zie je niet meer met een verleidelijk wijffie aan z n arm.

Uitgevuurd, zeggen de dorpers.

Steefs stem: Wat nou, Kobus, jij met de hond van Liefdegeest op het pad?

Naast de ladder zit op een oude gonjezak de schapendoes. Er gaat een steek door zijn hart, Liefdegeest, hij is er zeker in geen maand geweest. Druk, druk, druk, vandaag de dag staat alles in het teken van de fabriek.

Kobus weidt uit, van dit, van dat, en eindigt zijn palaver: Liefdegeest is een beetje grieperig, vandaag.

152

Liefdegeest grieperig? Liefdegeest, die nooit iets mankeert, en hij heeft Maria d r niet over gehoord. Op de terugweg toch maar even langs de winkel, een babbeltje met haar maken. Verdraaid, da s waar ook. Vrijdagochtend, dan staat ze in de zaak van Mandemaker en daar is Ant ook. Ant, die hem ziet als de vloek van haar leven.

En nu pas jij op de hond?

Zoals je ziet.

En lukt het nog een beetje tussen jou en die viervoeter?

Kobus buigt zich wat voorover, krabbelt de hond achter zijn oor, lacht en zegt: Je ziet het, we benne beste maatjes geworden.

Hij ziet het, Kobus als de oppas over de hond van Liefdegeest, wie had dat ooit gedacht. Hij tast in zijn zak, steekt zijn hand uit het raam: Hier, Kobus, koop een lekkere kluif voor hem, en voor jezelf een biertje. Dag, Kobus.

Kobus tikt beleefd tegen zijn pet: Dank u meneer, t zal d r niet aan mankeren, en kijkt de wegrijdende auto na. Op zijn netvlies Liefdegeest, met een handdoek over zijn hoofd zit hij snuivend en niezend boven een kruidenbad. Liefdegeest die hem voor niks en niemendal een bakfiets heeft gegeven. Ondanks dat hij de man voor die tijd voor al wat lelijk was uitmaakte. Hij heeft spijt als haren op zijn hoofd, biedt zijn excuus aan. Liefdegeest doet het af met een handzwaai: Laten we over iets anders praten. Nu zegt Liefdegeest, met een stem als een rasp, iets heel anders: Als mij iets overkomt, neem jij mijn hond?

Liefdegeest, een kleur als een goor hemd, hijgt als een vis op het droge en hapt naar adem.

Nee, zegt hij met angstige schrik. Zo moet je niet praten.

Liefdegeest, hees en schor: Da s geen antwoord, laten we het bij mijn vragen houden.

Hij, plots kwaad: Vanzelluf pas ik op je hond, we benne nou toch vrienden?

Om Liefdegeests mond iets van een glimlach: Neem het straks meteen maar mee, kan-ie alvast wennen.

En hij, met de naschrik nog in zijn lijf: En jij, Peer Liefdegeest, moet zoiets niet meer zeggen, da s t noodlot tarten, je mag d r zelfs niet an denken. En opeens moet hij van ontroering zijn neus snuiten.

Liefdegeest schudt zijn gehavende kop, zucht en zegt: Het is een koutje, meer niet.

Hij stuift op: Een koutje, je hijgt as een blaasbalg. En voegt er bezorgd aan toe: Ik zou de dokter maar s waarschuwen, misschien he-je longontsteking.

Liefdegeest, met een schorre lach: Kom, kom, Kobus, niet zo overdrijven. We worden een daggie ouder, en wat krikkemikkig. Een pijntje hier, een pijntje daar. Maar d r is meer voor nodig om dit oude karkas onder de groene zoden te krijgen.

Liefdegeest, die zo over zichzelf praat en wel meer iets zegt waar hij — Kobus — geen touw aan vast kan knopen. En nu ook weer praat die hem angstig maakt, en narrig valt hij uit: O ja, en dat is?

Liefdegeest zwijgt, in zijn geest het beeld van Jetta, de kelk, een hostie, vergeten kinderen op een vuilnisbelt, en in hem een wond die bloedt. En zachtjes zegt hij: De liefde Gods, maar dat zal jij niet begrijpen.

Inderdaad praat die zijn pet te boven gaat, Liefdegeest verstaat dit alles wel, maar da s een boekenwurm, zijn huis staat vol met geleerdheid, en als je Mans Mandemaker mag geloven

Liefdegeest krijgt een hoestaanval, blaft zijn longen zowat uit zijn lijf en Kobus komt met een klotsende schrik in zijn knie n met een glas water aansjouwen, duwt het in Liefdegeests hand en zegt: Hier, neem een slokkie.

Liefdegeest neemt een paar teugen, strijkt door zijn baardje, hijgt nog wat na en zegt: Dank je, Kobus, als het eenmaal zover is, zal ik je in mijn testament gedenken.

Kijk, dat laatste, m n testament , zit Kobus niet lekker. Liefdegeest zal toch niet ? Hij zal d r toch s met Maria over praten.

Kobus angstige voorgevoel komt uit. Liefdegeest wordt ziek, en dokter Griep, door Steef in zijn snelle sportwagen meegesleurd naar het Zandpad, constateert longontsteking, schrijft bedrust en antibiotica voor. En drie weken lang ligt Liefdegeest koortsig en terneergeslagen in zijn bed naar de hanenbalken te staren, en laat de zorgen van Maria — elke dag gehaald en gebracht door Steef — met een matte glimlach over zich heen gaan. Ook Kobus — rijdend met piepende pedalen —

komt twee keer in de week even aanwaaien, dan met een gegrild haantje, dan met een flesje fris, hij houdt de patiënt met al het wel en wee uit het dorp op de hoogte. Ook meester Winsma is een keer in Steefs snelle Jaguar meegenomen, met door diens vrouw een stuk zelfgebakken appeltaart, plus de groeten van al de bestuursleden van de vereniging Voor het goede doel .

Stuk voor stuk goede en lieve mensen, die het goed met hem menen, en ondanks dat het heel wat beter met hem gaat, voelt hij zich zwak en moe, en de vele boeken die hij altijd met veel plezier heeft gelezen, interesseren hem niet meer. Maar zijn geest is merkwaardig helder, waarin een mild begrip voor de dwalingen van de zwakke mens. Zijn vader, zijn pleegmoeder, en ook hij, juist hij, toen daar in Brazilië zijn wilde leven van een roekeloze, het omgaan met rauwe kameraden die met hun logica elke kiem van berouw in zijn ziel smoorden. In die dagen leefde hij het leven van een ruig beest, maar diep in hem bleef de hunkering naar het geloof tot de Allerhoogste, waarin zijn moeder hem in haar boereneenvoud in zijn jonge jaren was voorgegaan.

Opeens, in die totale verwildering, was daar Jetta, en een liefde zo groot die net zo onverwachts verdween als die gekomen was. Jetta, een novice, maar de betekenis hiervan drong niet tot hem door. Maanden van twijfel, leegte en een diepe moedeloosheid, waarin hij de hand aan zichzelf wilde slaan. Tot op een nacht die droom, waarin zijn kinderjaren en het beeld van zijn moeder. Haar fijne, bleke gezicht, haar handen die hem streelden, haar zachte stem die sprak van zijn genade en rechtvaardigheid, over elk verloren leven. Toen hij wakker werd, wist hij: het roer moet om. En vanaf dat moment kreeg zijn leven weer inhoud, kon hij zich verheugen in de kleinste dingen, zag hij het leven in de glimlach van een kind, hoorde hij Zijn stem in het jubelend gezang van een vogel. En op een stille, mistige dag, die als een zilveren nevel over de maisvelden hing, was daar het sterke verlangen terug naar Holland, waaruit hij — als broekie van vijf — met zijn ouders was gemigreerd naar het verre Brazilië .

Nu is hij alweer een aantal jaren in Holland en woont aan het Zandpad, en stelt zich meerdere malen de vraag: heeft hij hier het geluk gevonden, zoals hij in het begin heeft gedacht? Maar wat is geluk? Geluk is zo betrekkelijk Hij ziet zonder verwachting vooruit, en zonder wrok achterom.

Maar het verlangen naar Jetta is gebleven. Jetta, broeder Dominicus, als dansende schimmen komen ze zijn geest binnen, en ook al die zwervertjes aan de rand van de vuilnisbelt, en maar graaien en grabbelen, in die stinkende afvalhoop van de rijke elite.

Voor die stakkertjes spaart hij al jaren de ruitertjes van de beschuitrollen, en vele dorpers met hem, maar of het daar in den vreemde zoden aan de dijk zet? Hij heeft zo zijn twijfels. Hij kent daar de vele stichtingen en hulporganisaties, maar juist zij botsen met hun goede bedoelingen tegen de vele regeltjes van de bureaucratie op.

Nee, nee, als-ie zich wil overtuigen is het beter daar weer naar terug te gaan, het met eigen ogen aanschouwen. En met niemand kan hij daarover praten. Ja, toch, met n: Maria. Maria staat hierin heel dicht naast hem. Maria s roots liggen in Latijns-Amerika. En zijn roots? Hij — Peer Liefdegeest — overal heen en nergens thuis, met een schreiend verdriet in zijn hart en een dwaas verlangen in zijn ziel, en in zijn geest de bekorende visioenen van Jetta. Jetta en broeder Dominicus, zij bekommerden zich over het lot van al die armzalige zwervertjes. Toen Liefdegeest daar nog was, heeft hij hen een tijdje in hun werk bijgestaan. Maar al gauw had broeder Dominicus hem door. Op een dag stonden ze tegenover elkaar, Peer, een rouwdouwer in die dagen, en zo n afgezant van Rome, die vermanend zijn vinger naar hem opstak en zei: Jij deelt niet in onze barmhartigheid en liefde, tegenover al die stakkertjes hier, jouw streven is Jetta, Peer Liefdegeest, of ik zou me heel erg moeten vergissen.

Broeder Dominicus vergiste zich niet, en was ook degene die zich met onderworpen trouw aan de kloosterhi rarchie tussen Peer en Jetta had opgesteld.

Jetta, er gaat een strofe door zijn denken. Jetta, lopend met gebogen hoofd en gevouwen handen door de kloostergangen. Jetta, zou ze nog leven? Ze scheelden een jaar, en hij is een ouwe knar op zijn retour, en nog tot op de dag van vandaag houden zijn gedachten zich bezig met het raadsel rond leven en dood. Zijn geest en Zijn genade. Een troost dat te weten voor velen die in hun leven mislukken.

Is Peer zo n mislukkeling, of heeft hij in zijn jonge jaren zijn leven

156

verkeerd ingeschat? Gedeeltelijk wel, gedeeltelijk niet. Jaren van armoede. Jaren van rijkdom. Peers vader heeft hem in zijn leven niet willen kennen en koos voor zijn jongere tweede vrouw. Na zijn dood wilde wijlen zijn vader goedmaken wat hij in zijn leven tegenover zijn zoon verzuimd had. Zijn pleegmoeder erfde een grote som geld, maar Peer de haci nda met vijftienhonderd hectare land. Toen pas wist hij: zijn vader had het in zijn tweede vaderland gemaakt, macht, geld en aanzien. Maar het kwam te laat, als dat geluk hem in de schoot was gevallen in die periode met Jetta, was alles misschien heel anders gelopen. Jetta en hij, een verboden liefde. Ze werd zwanger van hem. Toch verkoos ze het kloosterleven boven hem, een leven van veiligheid en berusting.

En je kind, ons kind? had hij vertwijfeld uitgeroepen. Niks geen klooster, we gaan trouwen, Jetta.

Stil bleek en handenwringend stond ze voor hem, maar kalm en vastberaden klonken haar woorden: Broeder Dominicus heeft gelijk, je hebt geen werk, leeft van de hand in de tand, je kunt geen vrouw onderhouden.

Jetta, die door tussenkomst van derden tussen zijn vingers door glipte. Scherp viel hij uit: Je bent novice, en nog niet ingetreden, je kunt nog altijd terug.

Moet ik terug willen?

Hij, in totale verbijstering: Wil je niet terug?

Jetta, in die gestolen spaarzame momenten die ze samen doorbrachten was ze voor hem het stralende middelpunt van alles, de wondergave van het geluk.

En het kind? fluisterde hij ontzet. Ons kind, heb je daaraan gedacht?

Een droeve glimlach: Jawel, de moeder-overste ontfermt zich erover en er wordt een pleeggezin voor gezocht.

Een moment sloot hij zijn ogen, wist: dit was de genadeklap, Jetta had voor kerk en klooster gekozen en verdween uit zijn leven. Niet uit zijn hart.

Precies een jaar later viel die erfenis in zijn schoot, was hij een rijk man. Teruggaan naar Jetta, daar zag hij geen heil meer in. Jetta was een gesloten boek, althans, dat maakte hij zichzelf wijs, maar haar

157

beeld in zijn hart liet zich niet uitwissen en stimuleerde hem in liefde tot zijn naaste, hij zette zich in voor armen en misdeelden, gaf veel geld aan liefdadigheidsinstellingen, zette een schooltje op voor kansarme kinderen. Had veel succes met zijn werk, maar doorgaans weinig plezier. Werd een man van aanzien, maar de pijn om Jetta bleef. Tot op die bewuste dag het verlangen naar Holland hem overviel, en de hunkering naar dat kleine boerendorp, waar hij zijn kleuterjaren had doorgebracht, de geschilderde boerenhuizen, de muziektent op het kerkplein, het zadeldakkerkje in de schaduw van de bloeiende kastanjebomen.

Niets vond hij ervan terug. De boerenhuizen zijn verbouwd, veel kastanjes zijn omgehakt, en verschillende boerenbedrijven opgekocht door projectontwikkelaars die goud geld verdienden aan de grond waarop een nieuwe wijk werd gebouwd, huizen van alle gemakken voorzien, waardoor veel import van buitenaf, en niet te vergeten de broodfabriek van Staal, waardoor veel warme bakkers uit het dorp verdwenen. De regio veranderde, en ook het oude, vertrouwde dorpsleven dat zich spiegelt aan de moderne tijd, en dat betekende welvaart en geluk. Ach, lieve God, hij — Peer — weet zoveel beter. Zinsbegoocheling. Ook zijn jeugdjaren keren niet meer terug, en soms knaagt aan hem de gedachte: wat doe ik hier?

En toch kocht hij het huisje aan het Zandpad, knapte het op, ging er wonen. Hij, een oude man in stuurloze rust, die zijn laatste levensjaren in Holland wilde slijten. Maar vanochtend, bij het kraaien van de eerste haan, wist hij het zeker. Hij is los van hier, en wat hij zocht — de herinneringen van toen — vindt hij niet meer terug. Da s de reden dat hij teruggaat naar Peru. Hoe zei broeder Dominicus ook weer? In liefde tot uw naaste. En die liefde zijn die zwervertjes op de vuilnisbelt waarover hij zich met medewerking van een liefdadigheidsinstelling zal ontfermen, zijn laatste goede daad in een vergooid leven. En als het zover is dat hij het tijdige met het eeuwige zal wisselen, zal er de rust zijn die hij op aarde niet kon vinden.

En als hij beter is, gaat hij zoals hij is gekomen, in alle stilte tegen het morgenkrieken, zonder van iemand afscheid te nemen. Zijn financi - le zaakjes heeft hij op voorhand in alle stilte geregeld, bij de jonge notaris die in de nieuwe wijk is komen wonen. Een keurige jongeman,

158

die heel even met zijn ogen knipperde toen hij het geldbedrag zag, en verbaasd uit zijn mond viel: God in de hemel, en al dat geld geeft u weg aan goede doelen? Weet u dat wel heel zeker?

Hij zag zijn onthutsing, glimlachte en zei: Anders zat ik hier niet. En weet wel, jongeman, laat je ziel niet aan het geld kleven, want geld is duivelskwaad. Maar hij zweeg over de pijn die hem al jaren vergezelde. Bam, bam, bam, hij telt de slagen op zijn vingers mee. Da s zeven, de nagalm van de kerkklok is tot op het Zandpad te horen. Zondag, de rust daalt over hem, met zijn ogen dicht luistert hij. Ja, naar wat? Door zijn kop wentelen de gedachten, en de vraag: heeft hij zijn leven verbruid, door eigen schuld? Dat niet, kreunt het in hem. Zo heb ik het niet bedoeld, noch gewild. Plots weet hij het heel zeker: in de aanschijn van deze nieuwe dag zal hij een brief schrijven, van trouw, hoop en waarheid. Ja, een brief aan hen, die tijdens zijn ziekzijn zo goed voor hem zijn geweest. Maria, Steef, Kobus, meester Winsma Hen uitleggen waarom hij voorgoed uit het dorp is vertrokken.

Hij slaat de dekens terug. Zittend op de rand van zijn bed trekt hij zijn sokken aan, schiet in zijn broek, trekt de trui over zijn hoofd en stuttelt zuchtend en zwetend langs de trapleer naar beneden. Hij pakt uit de kast inkt, pen en papier, trekt een stoel onder de tafel vandaan, hapt een paar maal naar adem en gaat met trillende knie n zitten. H , h , even tot rust komen. Hij wrijft de zweetdruppels van zijn voorhoofd, snuit zijn neus, doopt de pen in de inkt en staart in gedachten verzonken op het papier. Nu komt het eropaan hoe en wat hij schrijft.

Zondag. Zo, dat staat er, en nu? Hij slaat een blik in het gebarsten wandspiegeltje, een koortsige blik in een paar blauwe oogholten, een scheve mond, een vuurrood litteken vanaf zijn slaap over zijn wang tot diep in de hals, de linkerneusvleugel aangenaaid. De tronie van Frankenstein, mompelt hij, maar de pijn vlamt door zijn wezen, en een stil afgegleden traan druipt in zijn stoppelbaard. Driftig veegt hij hem weg. Wat nou, Peer Liefdegeest, met zelfmedelijden kom je niet ver. Hij zet de pen op het papier, en schrijft de ene regel na de andere, in weloverwogen woorden, rustig en zeker. Woorden zonder tederheid, maar vol dankbaarheid. Als de brief klaar is, staan de zweetdruppels op zijn voorhoofd, valt de pen uit zijn van vermoeidheid trillende vingers. Het schrijven kostte hem meer moeite dan hij dacht. Dierbare herinneringen sluipen nader. Jetta, het tovert een glimlach op zijn gele, benige gelaat, maar met een lichtelijk gevoel van verzet gaat hij tegen de herinnering in, wil er niet door overrompeld worden. Hij heeft zijn zaakjes geregeld, en het is goed zoals het nu is. Eenmaal op krachten keert hij terug vanwaar hij gekomen is, daar ligt zijn laatste levenstaak: de vuilniskinderen van Peru. En daarna? Zijn handen vouwen en vragen: Heer, heb ik zo mijn ziel gereinigd, mag ik U nader komen?

Knikkebollend zakt zijn hoofd voorover, met de kin op zijn borst sukkelt hij weg in een diepe slaap, waarin een droom hem in het volle, warme leven doet terugkeren. Als snotjochie huppelt hij over het pad, kiezelsteentjes spatten weg onder zijn klompen, aan het eind van het pad staat een vrouw, ze spreidt haar armen, vangt hem op en zegt: Eindelijk, je bent thuis, mijn kind.

Hij ziet haar lieve gezicht, slaat zijn armen om haar hals en zegt: Ja, moeder.

Als Maria na vieren het huisje aan het Zandpad binnenstapt, vindt ze Liefdegeest dood in zijn stoel. Ze staart op hem neer en slaat een kruis. Liefdegeest, een lange, bleke man met een dun vlasbaardje. Hij heeft een aantal jaren onder hen geleefd, werd eerst niet geaccepteerd, later wel, en al gauw stond hij met een ieder op goede voet. Maar de ware Liefdegeest kende niemand, ook Maria niet, ondanks die paar vertrouwde gesprekken die ze met hem heeft gehad.

Drie dagen daarna wordt Liefdegeest onder grote belangstelling van de dorpers in een withouten kist van de armen begraven, op een vergeten stukje grond, helemaal achteraan op het kerkhof, waar nooit iemand komt. Maar wie Liefdegeest werkelijk was, dat weten degenen die zijn brief vonden. Steef en Maria. Maar uit respect en pi teit tegenover Liefdegeests nagedachtenis zwijgen zij daarover.

HOOFDSTUK 12

De tijd verglijdt met de seizoenen en laat goeie en kwade herinneringen na, die worden onthouden of vergeten. Het is alweer een tijd terug dat Liefdegeest is overleden, af en toe hoor je zijn naam nog wel s noemen, meestal als de zonderling of moeders mooiste , die hier zijn eeuwige rust heeft gevonden. En dat is het. Je kunt er niet bij stil blijven staan, en vroeg of laat komen we allemaal aan de beurt en het leven gaat door. Ook voor Jaap Wilms, de boer van Weltevree. Na jaren van boeren werd Jaap het zat en verkocht hij zijn land voor een slordige paar miljoen aan een projectontwikkelaar, tevens een gewiekst zakenman. Hij laat er nu dure bungalows bouwen en een golfterrein aanleggen voor de rijke middenklasse. En zo breidt het dorp zich weer verder uit, en gaat met zijn tijd mee.

Jaap Wilms is nu het heertje, je ziet hem veel samen met Brakel en Staal senior. Zij houden van de geneugten van het leven, en Wilms is goed voor de centjes. Brakel echter steekt heel voorzichtig zijn voelsprieten uit, hij ziet in Wilms een nieuwe klant, en begint onder het genot van een pierenverschrikkertje een genoeglijk praatje over de beurs. Maar Wilms, met zijn boerenslimheid, doorziet de bedoelingen van Brakel en denkt: het zit je niet glad, makker, met jou ga ik voor nog geen vijf stuivers in zee, en de beurs is voor mij abracadabra. Ik houd mijn centjes in eigen hand.

En Bertus Lamoen heeft voor een paar duizend piek een nieuwe varkensschuur laten bouwen, tegen de wil van zijn vrouw. Maar Bertus gaat ervanuit: wie niet waagt, wie niet wint. En voor die paar duizend maak ik me geen zorgen.

Wie zich wel zorgen maakt, is Goof Mandemaker. Hij werkt weer voor hele dagen op de fabriek nadat Steef het hem persoonlijk op het kantoor gevraagd heeft, want Ant met al haar pijnlijke herinneringen weigert Steef nog steeds het huis. Ja, in de winkel en ook niet verder, waar Maria de zaken met hem afhandelt. En dat zit Goof niet lekker. Steef, de directeur van de broodfabriek die hen toen een handreiking deed, en met zijn voorstel op de proppen kwam, waar zowel Ant als Goof in meegingen. Het werden jaren van keihard werken, maar hun beider trots — de zaak — hadden ze behouden. Bakkerij Mandemaker staat nog steeds in een geslepen logo op het raam, en als Mans wil En daar draait het om: Mans. Eerst maar s met dat jong praten voor hij Ant inlicht, want oei, oei, als ze het hoort, zal d r wat zwaaien. Mans die tegenover hem zit en vraagt: Is er wat, vader? Je kijkt zo bedrukt.

Ja, wat zal er zijn? Hij doet een greep naar zijn pijp, stopt die, steekt de brand erin, neemt een trek, blaast de blauwige rook uit en zegt: Aai Mulder was hier.

Nou en? Aai Mulder, na jaren heeft hij zijn koetjes op het droge en renteniert, en lachend zegt hij: Gaat hij zijn maalderij verkopen?

Goof schudt zijn hoofd, kijkt peinzend naar zijn zoon. Hij kent diens adoratie voor Maria. Maar Maria zegt: Dwaasheid, het waait wel over.

Voor Goof een opluchting dat Maria er zo over denkt, en hij weet niet of hij schreien of vloeken moet.

Maria, ze was dol op Lieuwe, en Mans moet zijn verstand gebruiken, maar het lijkt wel of zijn verstand de laatste tijd op hol is. Hij zegt: De maalderij heeft d r niks mee te maken. Hij kwam praten over Alie, ze moet trouwen, en jij schijnt er meer van te weten.

Mans, verbijsterd, stamelt verschrikt: Is dat waar, zei hij dat over Alie?

Goof knikt. Ja, Aai Mulder kwam het me persoonlijk vertellen, en weet je, Mans, ik geloof hem op zijn woord.

Dat Alie Een ijzige kou kruipt door hem heen, ondanks dat zijn hart fel begint te bonzen, hij kan zichzelf wel voor de kop slaan. Waarom is hij met haar blijven omgaan, hij kende toch haar gevoelens voor hem? Hoeveel keer heeft-ie niet gezegd: Zoek voor mij een ander. Maar Alie, met tranen in haar ogen, houdt koppig vol: Jij en niemand anders.

En die woorden vertederen hem, en ondanks allerlei tegenstrijdige gevoelens ging hij toch maar weer naar haar toe. Hun omgang met elkaar was net een knipperlicht: aan, uit, aan, uit en Alie die zich steeds weer aan hem opdrong.

Hij zag de spanning op haar gezicht, las de hunkering in haar ogen. Alie, een lieve lobbes van een meid en een goedzak, en van jongs af aan altijd verkikkerd op hem geweest, en Lieuwe zei: Wat houdt je

162

tegen, pak die meid, ze vraagt erom, en enige dochter en erfgenaam, je kossie is gekocht.

De woorden bleven in zijn kop hameren, zodat Alie En van zijn kant was er niet eens veel voor nodig. Na de daad kwam het berouw. Moest Alie zijn gevoelens in slaap sussen, die hij voor Maria koestert? Maar Maria wijst hem streng terecht en zegt: Je moet leren je niet op een droom te laten drijven zonder met jezelf te overleggen of het geen waanbeeld is.

Zijn vader die aandringt: Zeg-es wat, Mans.

Ja,.wat moet hij zeggen, dat Alie hem verleid heeft, moeilijk komt over zijn lippen: Ik eh het was een ongelukje.

Een ongelukje, zeg je, maar dan wel een ongelukje waar je je verdere leven aan vastzit, dat wordt trouwen, jongen.

Met Alie? Alie, zijn buurmeisje, maar dat is het dan ook. En toch is hij

Ja, jongen, er zit niks anders op. Zijn vader weer. En Alie is een lieve meid en Aai Mulder mag je graag. Dat heb je op voor.

Ja, vertel hem wat, Aai, die al jarenlang laat doorschemeren, als het wat tussen Mans en Alie wordt, hebben ze op voorhand zijn zegen. En Lieuwe zei Alie, lachend, pruilend, vleiend, maar geboeid heeft ze Mans nooit. En toch is hij Vader die opnieuw aandringt, hij ziet geen uitweg en stamelt: En als ik niet van haar hou?

Daar had je eerder aan moeten denken. Zijn vader, en plotseling scherp: Je hebt een naam te verliezen, want geloof me, Aai Mulder steekt dit niet onder stoelen of banken, die vecht voor het recht van zijn dochter, en gelijk heeft hij.

Va, die het voor Aai Mulder opneemt, en hij dan hij?

Stroef valt hij uit: En ik dan, va, je eigen zoon?

Va, plots obstinaat: Mijn eigen zoon, die me zoiets bakt. Maar dat zeg ik je: al moet ik je aan je haren naar het gemeentehuis toe slepen, trouwen zal je.

Va, die nooit uitvalt, maar als-ie het doet Hij stuift op: En als ik niet wil?

Willen, willen Va, enigszins gekalmeerd: Nogmaals, je hebt een naam te verliezen, jongen.

Hij norst: M n naam kan me geen snars schelen.

163

Maar mij wel. Va, weer obstinaat.

Hij: O, is het dat, de naam. Alie die hem bijna smoort in haar omhelzing, ruw duwt hij haar van zich af: Laat dat.

Alie, lokkend, kussend, weet niet van ophouden. Hij houdt zijn kop er niet bij, drukt haar neer op de grond, valt over haar heen: Goed, jij je zin.

Juist. Va s stem die weer tot hem doordringt: Bakkerij Mandemaker, een begrip hier in de regio.

Hoor daar, va die hoog van de toren blaast. Maar Mandemaker verkoopt al jaren het brood van broodfabriek Staal. Smalend valt hij uit: Mandemaker, niet meer dan een doorgeefluik, en zei moeder laatst niet

Ant. Praat hem niet over Ant. Ant, fel, gebeten en vol vijandschap geeft ze Steef nog steeds de schuld van het ongeluk van Lieuwe. En Goof denkt weleens: is dat Ant, zo n furie?

En nu weer dit akkefietje met Mans. Nou, akkefietje Maar wel met de nodige nasleep, en Ant kennende Enfin, ze mag Alie wel, da s een eerste gewin, en zachtjes zegt hij: Al zie je d r nog zo tegen op, je zult het je moeder toch moeten vertellen.

Hij schrikt. Moeder die tegen hem zo veranderd is na Lieuwes dood, heftig ego stisch soms in eigen smart, met het voorbijzien van de andere familieleden die dat vreselijke ongeluk van Lieuwe ook niet kunnen vergeten.

Maria reageert op dit alles heel anders en zegt: We hebben naast ons persoonlijk verdriet ook onze verplichtingen tegenover anderen.

Hij, altijd onder de indruk van haar persoon, vraagt: Hoe bedoel je?

Maria s lieve glimlach, warm en bemoedigend: Het vuur brandend te houden met de gave van liefde die God je zendt.

Het wringt in hem. Echt Maria, met d r roomse geloof. Kruizen en heilige beelden, Maria weet er veel over te vertellen, hem zegt het niks. Hem zegt alleen dat-ie van haar houdt. Maria, de weduwe van zijn broer, en hij zegt het haar. Maria staart stilletjes voor zich uit, het lijkt alsof ze zijn woorden moet overdenken, zegt dan: Misschien dat ik naar Peru terugga.

Schrik slaat hem om het hart, alsof zijn wereld instort, en grauwt: Je bent gek, jij, wat heb je daar te zoeken?

164

Maria, met die lieve glimlach haar zo eigen: Zuster Theodora. Zuster Theodora? herhaalt hij verbaasd. En met een lachje, juist een ietsje te luid om zijn zenuwen te verbergen: Als het nou een vent was.

Maria legt haar smalle hand op zijn arm, buigt zich naar hem toe en zegt: Zottepraat. Weet je, Mans, de wereld is vol onbeduidende mannen, waarin Lieuwe een uitzondering was.

Juist. Lieuwe, nog altijd, na al die jaren, komt ze ooit los van hem? En ik dan, je zwager? zegt hij timide. Ik zal net zo goed voor je zijn als Lieuwe. Misschien wel beter.

Maria, plots een en al ernst: Dat weet ik toch, Mans. Ik heb alleen de hand te pakken die jij me toesteekt, maar zou ik dat doen, dan ben ik bang voor jou

Bang voor mij? norst hij. Da s praat waar ik met mijn kop niet bij kan.

Bang voor een desillusie, als voor jou de illusie werkelijkheid wordt. Ik, een vrouw van achtendertig

Hij stuift op: Al was je tachtig.

Maria schiet in de lach. Onzin, al wat je zegt, en al vind ik je nog zo n lieve, spontane knul, je bent en blijft m n zwager en

Is er soms een ander? Steef Staal? valt hij haar in de rede. Steef en Maria, ze kunnen goed met elkaar opschieten.

Maria schudt haar hoofd: Nee, Mans, geen Steef, Kees of Klaas, niemand. Ik trouw niet meer. Lieuwe was het, Lieuwe blijft het. En nu wil ik er geen woord meer aan spenderen.

Nadien hebben ze er niet meer over gesproken, beiden hebben hun werk, zij in de winkel, hij op de fabriek, daar tobben ze als vanouds weer met een personeelstekort. Steef Staal *himself* rijdt op de nieuwe broodbus, een juweel van een kar, met alles d r aan en d r in. En hij — Mans — draait na het brood bezorgen ook overuren. Het tikt lekker aan, maar of-ie er zo verguld mee is? En vader staat ook weer in de banketafdeling, tegen de zin van moeder in, dat wel, ze moppert volop tegen hem: Man, man, waar zit het je, direct in de houding voor Steef Staal, je blijft geen achttien.

Vader grinnikt maar wat, duikt achter zijn krantje weg. Maar het streelt wel zijn ijdelheid. Steef Staal, die een beroep op hem doet.

Maar hij is wel zo wijs dat niet aan moeder te laten merken.

Moeder, die zo veranderd is na dat ongeval met Lieuwe. Niet dat het vroeger tussen die twee pais en vree was, maar dit heeft haar gebroken, vreest ze de klanten in de winkel dat ze erover zullen gaan praten, en voelt als een verlichting als Maria zegt: Gaat u maar naar binnen, ik red het wel.

Moeder, wie praat er over moeder? O, da s vader. Moeder, die het lang niet zint dat Mans warme gevoelens voor zijn schoonzuster koestert.

Moeder, obstinaat: Wat heeft die vrouw toch an d r rokken hangen wat een man zo trekt? Eerst je broer, nu jij. Zijn er in het dorp geen jonge meiden genoeg?

Zal ze blij zijn als hij haar zegt dat het met Alie een moetje is? Zucht en zegt: Vertelt u het haar maar.

Hoe goed begrijpt hij Mans. Mans zachte, ietwat slome karakter kan tegen de sterke wil van Ant niet op. Met Lieuwe lag dat anders, tegen zijn dominantie kon zij niet op. En wanneer ze woorden hadden — en wanneer hadden ze dat niet — dreef hij haar met zijn cynische spot in een hoek en ging zijn eigen weg. Altijd was het een gewapende vrede tussen die twee, maar de voelbare spanning bleef. En toen Lieuwe naar zee ging, waren Ants eerste woorden: Godzijdank, rust in huis.

Daarom ook die moedersmart in haar komt hem — Goof — over als iets onwezenlijks dat in strijd is met haar wezen, en met een blik op zijn zoon die er zo verslagen bij staat, zegt hij: Zo, zo, dus als ik het goed begrijp, laat jij je vader voor jou de kastanjes uit het vuur halen. Fraai is dat.

Mans voelt schaamte, het is waar wat zijn vader zegt. Wat is hij voor een slapjanus? En Alie een pijn schiet door zijn borst, voor hem is er maar een: Maria. En hoe zal zij hierop reageren als ze het hoort? Er springen tranen in zijn ogen, hij wendt zijn hoofd af, zijn vader hoeft het niet te zien.

Maar va staat al naast hem, slaat zijn arm om zijn schouders en zegt: Kom, kom, het is geen doodzonde, met jou zijn er nog zovelen die op een holletje naar het gemeentehuis moeten.

En als het huwelijk verkeerd uitpakt?

Va, op scherpe toon: Dan doe je je best om er wat van te maken, dat ben je aan Alie verplicht.

Mokkend kijkt hij uit het venster. O, hij weet het alles zelf wel. Alie, een goedzak, soms in haar doen en laten een beetje dom en bekrompen, en als hij bij haar was weggelopen, was er niks gebeurd. En va houdt aan, die plant alles op voorhand. Zo vlug mogelijk trouwen, dan luwt de schande en valt er niks. En geloof me, aan Aai en Greet Mulder krijg je goeie schoonouders.

O, ja, dat gelooft hij direct wat va over Aai Mulder zegt, beste mensen, en wederzijds kennen ze elkaar al jaren. Maar het neemt de pijn in zijn hart om Maria niet weg. Maria, ze praat over teruggaan naar Peru. Mans vraagt zich af Zal Liefdegeest in het verleden daar iets mee te maken hebben gehad? Hoe sprak hij ook weer over Maria? Een bekwame vrouw, wie kan haar vinden? Haar waarde gaat die van koralen ver te boven. Lees er Spreuken maar s op na, Mans. Liefdegeest wist veel over allerlei godsdiensten, en soms sloeg-ie je met Bijbelteksten om je oren. En de bloemenzaak, hoe moet het daarmee als Maria het hier voor gezien houdt? Steef Staal heeft er eigen geld in gestoken, nou, die zal ook wel denken. En op de achtergrond is daar ook nog moeder. Hij zucht eens diep en zegt: Vertelt u het aan moeder, ze schrikt zich dood als ik ermee aankom.

Goof sust: Goed jongen, laat het maar aan je vader over. trouwens, je moeder schrikt niet zo gauw. En met een blik op de klok die de minuten van pijn en vreugd de eeuwigheid in slingert: Het wordt je tijd, jongen, in de fabriek wordt op je gewacht.

De fabriek is Steef Staal, die de Mandemakers een handreiking deed. En Ant Nog altijd schuift ze de dood van Lieuwe in Steefs schoenen. Da s niet mooi van Ant, als ze zo praat geeft het hem — Goof — altijd een lichte ontroering. Want Steef is het ook niet in de kouwe kleren gaan zitten, en ook hierin moet een mens leren vergeven. Maar hoe breng je dat aan Ant d r verstand? Ant, die alles wat liefde heet in haar verdriet heeft gesmoord.

Volop drukte in de broodfabriek, het werk loopt het personeel over de handen. Zelfs Staal senior heeft zich aan het arbeidsproces opgeofferd en gaat in de reuring mee, van s morgens vroeg tot s middags vijf uur is hij aanwezig en telt de broden af in de gereedstaande kratten, waarvan n met de weekreclame. Weespermoppen, twee zakken halen, een betalen. En juist dat zet Staal senior aan het denken. Als het op de beurs ook zo ging, een aandeel kopen, een gratis toe, dan zou er een run ontstaan. Stom is hij geweest om naar de ingefluisterde raadgevingen van Brakel te luisteren. Brakel, een linkmiechel, hoe je het wendt of keert. Brakel springt er net bijtijds uit, of spint er garen bij, en hij — Staal — was weer s de pineut. Vorige week zakten zijn pas aangekochte aandelen tot ver onder de koers, een verlies dat hem van schrik deed duizelen, en hij die zo groot vertrouwen had in Brakel sprak zijn zorgt uit: Als het zo doorgaat, ben ik gauw ridder te voet.

Brakel, met een onverschillig lachje: Beste vriend, je vergeet dat je ook duizenden hebt verdiend.

Hij trok een lelijk gezicht: Maar da s een tijd geleden, en je mag het wel weten, het laatste halfjaar ben ik aardig ingeteerd op eigen vermogen.

Brakel, licht spottend: Dat heb ik je eerder horen zeggen, maar je loopt nog steeds in het rijtje mee.

Hij, plots diep gekrenkt, stuift op: Als je in mijn schoenen zou staan, zou je wel anders piepen.

Brakel, met een zuinig lachje: Ik piep niet zo gauw, wat dat betreft ben ik wel wat gewend op de beurs.

Brakel heeft geen hart in zijn donder en is altijd uit op eigenbelang. Brakel, breeduit zit hij achter zijn bureau, snuffelt in een bundeltje papieren. Zou ook hij? Ach, kom, hij — Staal — moet beter weten, Brakel is glad als een aal, sluw als een vos en naar horen zeggen is hij in zee gegaan met schildersbedrijf Het Hoge Noorden. Gramschap schiet door hem heen. Verdomme, verdomme, hij had er beter aan gedaan naar Steef te luisteren. Vanaf het begin heeft Steef die vent nooit gemogen. Zijn advies: kijk uit, pa, laat die vent je laatste woord niet horen. Zijn laatste woord. Ach lieve God, Steef moest s weten. Alles heeft hij in goed vertrouwen aan Brakel verteld, nors valt hij uit: Had je me niet bijtijds kunnen waarschuwen?

Een sarcastisch lachje: Hoe? En met welk recht? Hiervan houd ik me afzijdig. En luister s, Staal, je kunt niet altijd op andermans schouder leunen, er bestaat ook zoiets als eigen inzicht.

Hoe handig Brakel hem verweet de schuld bij zichzelf te zoeken. Hij

168

— Staal — die de ondergang op zich af ziet komen, een weten dat hem met de dag duidelijker wordt. Tot nu toe heeft hij tegen Steef er met geen woord over gerept. Uit schaamte of uit ijdelheid zich te beklagen tegen de zoon die hem meerdere malen voor Brakel heeft gewaarschuwd, en hij wil zo lang mogelijk Steef buiten zijn financi le zorgen houden, met de gedachte: het zal zo n vaart niet lopen. Nu denkt hij heel anders: voor hoelang?

En Steef, die gisteravond tegen hem zei: De boekhouder tikte me vanmorgen op de schouder, er liggen nog de nodige rekeningen.

Nou en? kribde hij nerveus, ten eerste door het geharrewar met Brakel en ten tweede door zijn belabberde situatie op de beurs. Moet je daarvoor bij mij zijn, jij bent toch de directeur?

Steef, met een geamuseerd lachje: Jawel, daar ga ik voor door. Maar op papier ben jij de rechtmatige eigenaar, weet je nog wel, pa?

Zijn zoon die hem hiervoor aansprakelijk stelt, voor een tekort in hun beider belang. De broodfabriek. En terecht.

Met moeite houdt hij een zucht in, neemt een paar slokken koffie, doet zich beminnelijk losjes voor en zegt quasi-opgelucht: Maak je geen zorgen, de zaak komt rond, en zeg maar tegen die boekhouder of nee, zeg maar liever niks.

Steef, zichtbaar opgelucht: Ik begrijp het, je moet eerst s in je geldkist kijken.

Hij knikt. Zoiets, ja. Hij duikt weg achter zijn krant, en Steef snuffelt weer in de bestellijsten. Maar in hem onrust, stel je toch s voor dat hij geru neerd raakt. De schade, de schande, wat zal zwaarder voor hem wegen, en hoe zal Steef reageren. En Margreet, wijlen zijn vrouw, ze is altijd bang geweest voor een financieel debacle. Margreet, er schiet een brok in zijn keel. Kom, kom, Margreet is verleden tijd. Hij moet zich in zijn gevoelens niet zo laten gaan. Trouwens, hij is nog niet helemaal blut, maar met Brakel heeft-ie het gehad. Want een ezel stoot zich in het algemeen

Zijn de kratten gevuld, meneer Staal? De stem van Mans die zijn gedachten op de vlucht jaagt. Mans, een aardige vent, kloek van ziel, de mouwen opgestroopt en vader van een zoon. Lieuwe, vernoemd naar zijn — Mans overleden broer.

Ach, ach, als-ie daaraan terugdenkt, dat heeft toen een stof doen opwaaien, en wie de schuldige? Beter daar maar niet meer aan te denken.

Hij wijst: Daar staan ze.

En de weekreclame? Eerst vulde Mans de kratten, nu Staal senior. Hij wijst: Daar, die achterste krat. Ja, jij denkt ook, de reclame is-ie vergeten, maar mispoes.

Mans schiet in de lacht: Uw geheugen is nog goed, meneer Staal, en gaat u straks mee? Staal senior, hij rijdt wel s met hem mee door de wijk. Staal is een gezellig prater en altijd in voor een lolletje.

Staal strijkt langs zijn kin, verdorie, hij mag zich wel s scheren, dat komt ervan als je in de dagelijkse sleur meedraait. Op de beurs altijd een gladgeschoren bekkie, en nu? En tegen Mans die hem vragend aankijkt, klinkt het als in een excuus: Ja, jong, ik mag we wel s scheren.

Mans, lachend: O, zit daar maar niet over in, d r zijn ergere dingen. Maar gaat u straks mee, vandaag rij ik ook Steefs wijk, hij heeft een paar snipperdagen.

Dan ga je de polder in, weet hij. De polder, wijde ruimte, zuivere lucht, waar vind je dat nog vandaag de dag?

Mans: Kijk s an, u leert de omgeving al aardig kennen.

In gedachten verzonken kijkt hij naar Mans, weet geen antwoord. Mans Mandemaker, telg uit een oud bakkersgeslacht. Toen kwam de fabriek met in het vaandel arbeid voor iedereen . Conclusie, de meeste warme bakkers in de regio gingen saneren, ze moesten wel, tegen de fabriek viel niet op te boksen. Maar Mandemaker redde het, al verkoopt ook hij fabrieksbrood, maar met behoud van eigen zaak, dat wel. En zijn kop eraf, als Steef daar niet achter zit. Hij kent zijn zoon, sterk sociaal voelend. Maar als hij er s een balletje over opgooit, houdt Steef zijn kaken stijf op elkaar, en Mandemaker doet ook of-ie gek is. Mandemaker, een goeie schaker — door tussenkomst van Steef komt die ouwe rakker wel s bij hen thuis, spelen ze onder het genot van een sigaartje een potje schaak. En soms valt de naam Liefdegeest De zonderling, naar wat hij — senior — erover heeft gehoord. Maar Steef gaat er direct enthousiast op in: Liefdegeest, dat was een schaker pur sang.

Maar Liefdegeest ligt al een aantal jaren op de dooienakker en kijkt tegen het deksel van zijn kissie an. En Kobus Korthals, glazenwasser en dorpsfiguur, woont nu aan het Zandpad in het huisje van Liefdegeest. En naar horen zeggen — want hier brengen de raven het uit — heeft de man dat van Liefdegeest ge rfd. Maar wat ervan waar is? Maar sindsdien houdt Kobus het ramen zemen voor gezien.

Neem je vrouw s mee, raadde hij Mandemaker aan. Wel zo gezellig.

Maar Mandemaker zei met afgewend gezicht: Beter van niet.

Hij drong er niet verder op aan, maar sindsdien heeft hij Mandemaker niet meer gezien, wel zijn zoon, dagelijks in de fabriek. Mans, hij sjouwt de kratten in de bestelwagen. In de mond van de dorpers de broodbus . Mans komt weer binnen. Nog twee kratten, dan is het gepiept. En gaat u straks mee, meneer Staal?

Mans, hij is getrouwd mat Alie Mulder, enige dochter van een graanhandelaar met centjes. Mans is een bofkont.

Senior, met een grijns: Dat moet ik eerst aan de baas vragen.

Mans onthutst: Kom nou, uw eigen zoon.

Maar hij is hier de directeur, en ik de werknemer.

Nou ja, als u het zo bekijkt.

Maar zo liggen de kaarten, Mans, of zie jij het anders?

Hoe hij het ziet? Staal senior en Staal junior. Vader en zoon, en dat is het.

Nou ja, oppert hij onzeker, wat moet ik daarop zeggen?

De waarheid, Mans, en anders niet.

De waarheid, een weemakend gevoel trekt door hem heen. De waarheid is voor hem nog altijd Maria. Ze staat weer in de bloemenzaak en zegt met een blik op hem: Dat is beter voor ons allemaal.

En Alie zeurt zijn kop gek, ze wil nog een kind, want n is zo n angstig bezit, en liefst een dochter, ze hebben al een zoon.

Ik zal mijn pet op houden, nou goed, grauwt hij en loopt naar buiten. Alie, ze is gewillig genoeg, maar hem stuit het soms tegen de borst, en hij zoekt een of andere uitvlucht.

Ring, de bel, koffiepauze. De machines vallen stil, het volk loopt naar de kantine. Staal en Mans lopen mee, en Mans zegt: Ik zal het straks wel aan Steef vragen.

Staal knikt, Jan en alleman zeggen hier Steef. Zo breng je onder je volk geen respect bij. Standsverschil is er altijd geweest en moet er blijven. Maar Steef zegt: Standsverschil kan me gestolen worden, ik wil eenheid en vertrouwen onder het personeel.

Mans trekt een stoel onder een tafeltje uit, wijst: Gaat u hier maar zitten, meneer Staal. Ik haal een paar belegde broodjes voor ons. Wat wilt u erop?

Belegde broodjes, ingesteld door Steef. Diens mening: Op broodfabriek Staal geen arbeiders met een broodtrommeltje onder hun arm, gewoon, ze bestellen hun kuchie in de kantine.

Hij, spinnijdig: Ik geloof dat jij mesjokke bent, dat wordt een aardige kostenpost.

Steef, met een brede grijs: Dat wordt weggewerkt in de post onkosten.

We we sputtert hij tegen. Je bedoelt Smallenbroek.

Steef klakt tevreden met zijn tong: Juist, pa, en een boekhouder die je in ere mag houden.

Hij, met de zorg in zijn kop over z n gekelderde aandelen, valt kribbig uit: Draag hem voor, voor een lintje.

Hoi, opa, een harde klap op zijn schouder. Laat je je neus ook weer s zien?

Da s Hannes, een monteur van het wagenpark, een rouwdouwer, en het woordje respect is hem vreemd. Maar Steef wuift het weg. Respect? Hij is goed in zijn werk, da s voor mij van belang.

Is die stoel nog vrij? Ja? Hou t plaatsje voor me vast, opa, dat ik effe wat te bikken haal. Weg is Hannes.

Morgen ouwe. Da s Banning. Een boomlange vent, hij werkt in het pakhuis, de man legt zijn pet op tafel, strekt zijn benen, richt zijn blik op Staal en zegt: Je spaart heel wat centjes uit voor je zoon, ouwe, wat denk je dat vandaag een vaste knecht kost?

Hij weet het niet en het interesseert hem nog minder. Waar blijft Mans toch? Goddank, daar is-ie, samen met Hannes.

Zo, lange, zegt hij tegen Banning. En Hannes zit, hapt met smaak in zijn broodje, slurpt er een slok koffie achteraan en richt zich tot Mans: Vertel s, hoe gaat het met je zoontje?

Best. Uw koffie, meneer Staal.

En met je vrouw? Is Mans effe met zijn neus in de boter gevallen,

172

enig dochter en erfgenaam.

Prima. Verdomme, Hannes zaagt maar door.

Hannes, met een brede grijns: En de tweede onderweg?

De woorden slaan Mans als mokerslagen op zijn hart, grimmig valt hij uit: Zal ik jou aan je neus hangen.

Hannes wrijft de kruimels van zijn snor: Poeh, poeh, bijt niet, ik vroeg het maar.

En vragen staat vrij. Banning, die er een woordje tussendoor gooit.

Staal voelt als het ware Mans innerlijke onrust en ziet de nerveuze trek op zijn gelaat, en om hem wat af te leiden, vraagt hij: Heb je Steef al gesproken? O, daar heb je hem, valt hij zichzelf in de rede. Steef stiefelt recht op hun tafeltje af, en Staal vervolgt zijn zin: Nou, Mans, doe je best.

Maar Mans, met de ogen van Hannes en Banning en de vragende blik van Steef op zich gericht, voelt zich opeens niet meer zo zeker, wordt vuurrood en hakkelt: Uw vader en komt niet verder. Steef, plots met het beeld van Lieuwe voor ogen, denkt: hoe die twee broers toch in karakter verschillen. Lieuwe, toen hij nog leefde — in dominantie precies Ant. En Mans daarentegen. Het is maar goed dat-ie met Alie Mulder is getrouwd, en zoals hij — Steef — Goof kent, zal die de weg voor zijn zoon wel effenen.

Ant, zal het ooit nog tussen Steef en haar nog goedkomen? Hij denkt het niet, maar toch, het leven zit vol verrassingen, je weet het maar nooit.

Vind je het goed dat ik straks met Mans de wijk in ga? Zijn vader, die plotseling die vraag op hem afvuurt.

Hij polst: Wiens idee is dat?

Van mij. Da s Mans, die moed schept, en met een blik op de grijsharige Staal senior: Uw vader heeft vanochtend zo hard gewerkt, en ik dacht

Wie niet, da s Banning. Door dat personeelstekort werken we ons allemaal in het zweet.

En Hannes vult aan: Je praat of je de directeur zelf bent, maar dat zie je toch verkeerd, mannetje.

Wie het niet verkeerd ziet, is Steef, hij ziet in Mans een harde werker. En hij ziet zijn vader, die de naam van Brakel niet meer over zijn lip-

173

pen krijgt. Wat is er toch tussen die twee voorgevallen, het zullen wel beursperikelen zijn. Maar hij bijt eerder zijn tong af dan hij het zijn vader vraagt. Trouwens, pa zwijgt toch op dat gebied.

Pa, die s avonds bekaf in zijn stoel neervalt. Pa, die met zijn rijke beursvriendjes in hun eigen wereldje leeft, en nu klaagt van: Het werk gaat je in je botten zitten.

Hij, met een cynisch lachje: Ja, ja, nu weet u wat het woord werken betekent.

Pa, voorovergebogen in zijn schouders: Nu weet ik het, en alleen van jou kun je zo n gezegde verwachten. Hij stokt met een hulpeloos gebaar met zijn handen: Maar ik meende ik dacht Dat voor geld alles in de wereld te koop is, valt hij hem in de rede. En dat is overigens alles waar mensen van uw slag aan denken. Maar de mensen in de fabriek denken heel anders.

Pa, plots gepikeerd: Loop heen, van hoog tot laag, alles draait om geld, en die arbeiders van jou, die heikneuters, geen greintje respect voor een ouwe kerel. Het is van Hoi opa of Dag ouwe .

Hij schiet in de lach: Zit je hoog, h , pa? Pa s wereldje, witte boorden, gekleurde stropdassen en status, ja, d t vooral.

Pa, nijdig: Wat heet.

Hij: Dat komt wel, gun ze de tijd. Boerenvolk, ze kijken eerst de kat uit de boom, maar als je ze hebt, heb je ze helemaal.

Pa, nerveus trommelend met zijn vingers op de stoelleuning: Eerst zien, dan geloven.

Hij: Wacht maar af. En hij denkt: zal het lukken? Pa, die altijd een beetje meelijwekkend op de mindere man neerkijkt, en met grof ver-diend geld een broodfabriek liet bouwen. Voor eigen gewin, niet voor het gezin. Pa, die tijdens de opening zich met gepaste trots door de locoburgemeester en de plaatselijke wethouders de hemel in liet prij-zen. Pa, die voor de schijn een handje op de fabriek helpt, grapt en grolt, en met de kantinejuffrouw kan lezen en schrijven. En iedereen vindt hem een geweldige vent.

Pa, uitgeblust zit hij aan het tafeltje, een paar grijze haarpieken slin-geren langs zijn voorhoofd, zijn hand trilt als hij het koffiekopje naar zijn mond brengt. Arme pa, hij is toch ook niet jong meer. En voor het eerst in al die jaren voelt Steef een sprankje medelijden, en zegt:

Nou, vooruit, gaan jullie dan maar. Maar een ding, pa. Morgen blijf je thuis.
Staal senior, met een grimas: Hoe krijg je me zo gek?

Goof Mandemaker kan de slaap niet vatten. Met wijd open ogen ligt hij in het donker te staren. Naast hem ligt Ant, het hoofd diep in de kussens, de dekens tot haar kin opgetrokken. Ant, nog altijd zo ver-bitterd, maar toen Mans van de week onverwachts binnenviel en zei dat Alie d r zeker van was dat ze weer in verwachting was, fleurde Ants gelaat op in een blijde glimlach. Ze gaf Mans twee klapzoenen, op iedere wang een, en zei: Da s goed nieuws, jongen.
Mans, verbaasd om haar plotseling mildheid, kuste haar terug en zei: Alie is er verguld mee.
Tegen hem — Goof — zei hij iets heel anders: Ik zei tegen Alie: Als het een meisje is, noemen we haar Maria. Maar Alie ging d r furieus tegen in: Dat had je gedroomd, de eerste naar jouw broer, de tweede naar mijn moeder. En dat werd me toch een heidense ruzie.
Mans hij stond er net zo verbeten bij als toen met Alie dat het een moetje was. Mans hij heeft zich niet aan zijn plicht ontrokken, maar in zijn hart is het nog altijd Maria.
Hoofdschuddend zei hij: Mans, Mans, leer toch s vergeten, en Alie is toch een goeie vrouw voor je.
Dat is het niet, klonk het gesmoord. Met Maria s komst is alles zo veranderd. Juist, alles was zo veranderd, maar nu gaat Maria weg, terug naar Peru, ze kwam het Goof en Ant vanavond vertellen. Hij geschrokken, legde zijn krantje neer. Ant zette de theepot op het licht-je terug en viel scherp uit: Wat is dat voor onzin, je hebt het hier toch goed, een eigen huis, een bloemenzaak Daar plukte Lieuwe je van de straat af.
Ant, ze heeft nooit sympathie voor Maria gevoeld. Voor haar was en bleef ze die buitenlandse , die hier d r geluk kwam zoeken en Lieuwe met d r mooie smoeltje in de val had gelokt.
Maria, zijn lieve schoondochter. Vanaf de eerste ontmoeting heeft hij haar in zijn hart gesloten, en hij zei bedroefd: Wil je dat echt, kind? Weg van huis en haard? En wat denk je daar terug te vinden, wat je jaren geleden de rug toekeerde?

Laat haar, ze is oud en wijs genoeg. Ant, kortaf en kribbig. Ant, die altijd was gestruikeld over madre , en tot Maria: Wil je thee? Ja, Maria wilde thee. Ze trekt een stoel onder tafel uit, gaat zitten. Plots praat ze over zuster Theodora van de Heilig Hart Congregatie, en haar werk onder de allerarmsten in Peru, waaronder de vergeten kinderen die hun kostje bijeenscharrelen op de vuilnisbelt. Maria vertelt, zij luisteren.

Maar wat Lieuwe Goof in vertrouwen over Maria heeft verteld, daarover zwijgt ze. En Goof weet in herinnering aan Lieuwe, hij nooit n woord daarover tegen Ant zal reppen. Maria s blazoen zal nooit bezoedeld worden.

Snap jij zo n vrouw? zei Ant, lang nadat Maria op eigen huis was aangegaan. Een eigen huis, een eigen winkel, en daar heeft Lieuwe toch maar krom voor gelegen.

Hij ging op Ants praat niet in, maar of hij Maria begreep? Maria, met haar hoop, haar smart en de liefde voor de man wiens beeld voor altijd in haar hart staat gegrift. Lieuwe, die haar de oprechte, zuivere liefde tussen man en vrouw heeft leren kennen. Een liefde die Maria s hart brandend houdt voor de vergeten mens, dat ze eens zelf was, voor ze Lieuwe leerde kennen.

Maria, die opeens heel zeker van zichzelf terugkeert naar Peru. En hij — Goof — voelt dit weten in zijn hart als een doffe pijn. Maar Maria heeft recht op een eigen leven, en misschien dat in de toekomst de kleinkinderen hem die pijn zullen doen vergeten.

Wat is dat? Hij veert rechtop in zijn bed, een auto rijdt in grote haast voorbij. Het geluid van stemmen, een blauw zwaailicht, dat door de toegeschoven gordijnen dringt. Brand hij weet het zeker. Hij gooit de dekens van zich af, springt uit bed, loopt naar het raam en trekt de gordijnen open. Aan de hemel een rozig schijnsel. Plots scheurt die hemel open in een felle vuurgloed. Hij staat als aan de grond genageld de broodfabriek, hij weet het zeker. Angst en schrik geven hem vleugels, hij rent naar bed, rukt aan Ants arm: Opstaan, Ant, de fabriek staat in lichterlaaie.

Ze schrikt wakker: Wat? Hoe? Wat is er?

Hij schiet gehaast in zijn broek: Kom d r uit, de fabriek staat in brand.

176

Wat? De fabriek? Van verre dringen vreemde geluiden tot haar door. Ze gooit de benen over de rand, schiet in haar pantoffels, met slechts n gedachte: Steef Staal krijgt terug wat hij haar met Lieuwe heeft aangedaan.

Mijn God, vader, hoe kon je? roept Steef uit. En dat ik het van Smallenbroek moet horen. Smallenbroek, die naar hem toe kwam en zei: De brandverzekering is gedeeltelijk betaald, maar uw vader zei: Geef maar hier, het resterende bedrag neem ik voor mijn rekening. Vader, die wel s meer wat voor zijn rekening nam, maar nu zitten ze toch mooi met de gebakken peren. Zijn vader met zijn nonchalante oppervlakkigheid. Nu zie je maar.

Machteloos in zijn verwezen brein kijkt Staal senior naar zijn zoon, die verbeten en diep gekrenkt voor hem staat, en kampt met een gevoel of dit alles in een boze droom aan hem voorbij zal gaan. De fabriek is door kortsluiting tot de grond toe afgebrand, en de brandverzekering dekt door een gedeeltelijke betaling de schade voor een derde, en de fabriek zal niet meer worden opgebouwd. En Steef, met zijn rechtschapen karakter, dit voelt als een smet op de naam Staal.

Zijn blik zweeft onrustig door de kamer, zijn mond trilt. Geld, geld, alles in de wereld draait om geld. En Steef weet nog niet alles. Wat zegt-ie nu?

Godzijdank is voor het personeel een goede regeling getroffen. Kortsluiting wordt gezien als overmacht, en ze hebben recht op een volledige WW-uitkering. En met een cynisch lachje: Noem het een geluk bij een ongeluk.

Dus dat is geregeld, verzucht senior, en hij voelt zich waarachtig een beetje opgelucht, want door het volk, dat hij de laatste maanden door samenwerking goed heeft leren kennen, met de vinger te worden nagewezen, dat zou nog het ergste zijn. Dan, haast onhoorbaar als een zucht: Het is voorbij, zoon, we zitten aan de grond.

Een grauw: Da s me bekend, ja. En gedane zaken nemen geen keer, en goddank hebben de mannen nog een geldje. Ik vind wel weer een baantje, en jij, pa, hebt nog een bescheiden kapitaaltje op de bank en een dak boven je hoofd.

Een schrille kreet, zijn vader die hem met wijd open ogen aankijkt, de

177

handen tot vuisten gebald: Dat dacht je maar, we zijn zo goed als alles kwijt. Niet alleen de fabriek, het wagenpark, de bestelauto s, het notarishuis. Ik heb te hoog ingezet en zo goed als alles verloren, en dat beetje geld op de bank kan ons niet redden. We zijn failliet.

De harde trek in Steefs gelaat wordt een trek van verwondering, onrust, al dringt het niet goed tot hem door wat zijn vader zegt, en herhaalt: Zeg dat nog s.

Staal senior schokt met zijn schouders: Gewoon zoals ik zeg. Een nieuwe markt, dan denk je wel s, maar verkeerd gedacht. En met een machteloos gebaar: Ach ja, gewiekste jongens, ze kennen de gang van zaken, praten je om. Goud tot aan de horizon, en je denkt: vooruit, ik waag een kans. En in het begin liep het goed en een hoog rendement, maar plots zakte de koers in een vrije val, d r was geen houden meer aan en je vader ging het schip in. En als klap op de vuurpijl brandde de fabriek tot de grond toe af, en als je vader de moed had, kneep-ie d r tussenuit, maar die moed bezit ik niet, daar ben ik te laf voor.

Hij zwijgt, diep voorovergebogen in zijn schouders, zijn handen bungelend tussen knie n. Met een blik op zijn zoon, die zwijgend naar hem kijkt, mompelt hij: Wat ons nu nog wacht, zijn de schuldeisers.

Het duizelt Steef, al wat zijn vader zegt komt verpletterend over hem heen, en in hem de oude wrok: pa, een gokker. Bitter valt hij uit: Alles op n kaart zetten, dat doe je niet, da s stom, en dat voor zo n oude rot als jij, die alle kneepjes van het vak kent.

Kun je me het vergeven, jongen? Pa s stem is bijna geluidloos, zijn gezicht ziet grauw, bleek weggetrokken. Pa, die d r verwezen en verloren bij zit. Maar in zijn herinnering ziet Steef ook andere dingen. Pa, die altijd het beste voor zijn zoon wilde, zijn studie en vele buitenlandse reizen betaalde, hem een motorfiets en een zeiljacht gaf, die hem als directeur aanstelde. Wat zegt pa nu?

Nee, dat kun je niet, en ik begrijp het, ik trek je mee het moeras in. Maar je moet me geloven als ik je zeg dat ik deze en gene heb gevraagd om wat financi le steun, gelijk een bedelaar.

Aan je beursvrienden?

Pa, wiens trots is geknauwd. Zijn illusie gebroken. Hij knikt: Ik ken geen andere vrienden.

178

Nee, dat is waar. Pa en de beurs, dat is een Hoewel En Brakel, naar ik meen je allerbeste vriend?

Staal schudt zijn hoofd. Niet meer, dat is verleden tijd. Hoewel ik toch nog naar hem ben toegegaan. Maar hij zei Staal zwijgt, slikt een paar maal, op zijn netvlies Brakel. Hard, rechtop zittend in zijn stoel, als een rechter tegenover een schuldeiser. Brakel die zei: Ik zie geen enkele kans je hierin tegemoet te komen, dat zul je zelf op moeten lossen.

Hij, met nog een schuchtere poging: En als het alleen niet valt op te lossen?

Brakel, met een brede grijns: Dan zal ik er s over moeten nadenken. Ajuus, Staal, het ga je goed.

En pa ? Steef, die aandringt.

Moedeloos haalt hij zijn schouders op. Niks Noppes. En in de hel van vernedering en ellende, waarin hij de laatste weken heeft geleefd, ziet hij het oude notarishuis voor zich als de enige veilige schuilplaats. Maar voor hoelang?

En in zijn ontstelde verbeelding ziet hij alleen maar schuldeisers, curatoren, en op de achtergrond de justitie. Hij, Staal senior, van geacht burger tot paria. En opkijkend naar Steef, wiens jongensleven in alle leeftijden aan zijn geest voorbijgaat, stamelt hij klein en deemoedig: En wat nou?

Ja, wat nou? Pa, voor het eerst in zijn leven verkeerd gegokt en op een klein kapitaaltje na al zijn geld kwijt. En is het alleen zijn schuld? Pa, een ruim hart, en goed van vertrouwen in iedereen. Pa, soms net een groot kind in zijn voelen en denken. Pa, zoals hij daar zit, een oude, uitgebluste man, die niet meer in zijn idealen gelooft, waarin hun beider toekomst wankel en onzeker. Maar ondanks pa s verkeerde inzicht, waardoor ze nu bijna alles kwijt zijn, moet Steef er niet aan denken, een leven zonder vader. En over eigen trots en bezeerdheid heen, legt hij zijn hand op diens schouder en zegt: Kom op, pa, kop ervoor, en we zullen wel zien waar het schip strandt.

HOOFDSTUK 13

Vierentwintig mei, de verjaardag van Goof, dat is altijd een gezellig onderonsje in kleine familiekring. Hij doet een trek aan zijn pijp en blikt tevreden in het rond. Da s Mans met Alie en hun kinderen, Aai Mulder en zijn vrouw, tegenover hen Maria en Steef.
Steef Staal, de gewezen directeur van de afgebrande broodfabriek, en nu kostganger in huize Mandemaker. Hoe vreemd het in het leven kan lopen.
Steef, hier in huis, en denk niet dat het zonder slag of stoot is gegaan. Ach, Heer, nee, daar zijn heel wat woorden tussen Goof en Ant aan voorafgegaan. Maar ondanks helse ruzies en geharrewar hield hij zijn poot stijf. Ze moest zo denken, ze hadden heel wat aan Steef te danken, en nu door noodlottige omstandigheden voor vader en zoon Staal het faillissement is aangevraagd en het notarishuis verkocht — want in het dorp blijft niets verborgen — is het niet meer dan hun plicht Steef een handreiking te doen. En moet Ant niet aldoor achterom blijven kijken en aan Lieuwes beeld blijven vastklampen, hadden ze in Mans zoontje geen Lieuwe terug? Had de Heer hen hierin niet rijk gezegend? Ant stoof op: Word je vroom?
Vroom? Klets, van huis uit zijn we protestant, en dat we d r niks an doen
Ant: En Maria is van het kruissie en loopt de kerk plat.
Hij: Laat haar. Verdomme, altijd dat gevit op Maria.
Ant: O, ik zal d r niet tegenhouden, de een hangt aan dit, de ander aan dat, en we vliegen elkaar allemaal in de haren.
Hij, met een nijdig lachje: Vooral jij, wat Steef betreft.
Pats! Pal in de roos en Ant over de rooie, d r ogen schoten vuur. Ant al die jaren ego st in eigen verdriet, daarbij niemand om zich heen achtend en waarin Steef het grote kwaad. Steef, de man voor wie ze tijdens de dreiging van een sanering zich niet hoefde te verbergen. Hij begreep de situatie, bood hen een eerlijk voorstel aan. Goed, ze hadden concessies moeten doen, maar het had hun naam en bestaan gered. Ant is daarvoor blind, ze blijft in Steef de schuld van alles zien, waardoor tussen Goof en Ant de vertrouwde verhouding tussen man en vrouw verloren ging, en langzaam als een diepe wond in hem

begon te schrijnen.

Goed, zei hij, zich met moeite beheersend. Als jij dan in je eigen verdriet wilt verdrinken, ga je gang. Maar zolang Steef geen dak boven zij hoofd heeft, komt hij hier in huis.

Terstond vloog Ant op: Hij d r in, ik eruit.

Je doet maar, ging hij er koeltjes tegen in. Maar weet wel wat je op het spel zet.

Een lange poos zwegen ze beiden. Ze rilde en begreep: Goof, de geduldige, niets eisende echtgenoot, die zich altijd naar haar wil schikte, maar nu in eigen gekwetstheid geen duimbreed toegaf. Goof, die pijpies lurkend zo rustig afwachtte.

Goed dan, gaf ze eindelijk bitter toe. Als jij met alle geweld wilt, hij kan Mans kamer krijgen.

Dank je, was het enige wat hij zei.

Nu is Steef al een aantal maanden bij hen in huis, praat Ant — indien het niet anders kan — heel koeltjes tegen hem, en gaat hij er wat terughoudend vriendelijk op in.

Goof neemt nog s een trek aan zijn pijp en kijkt tevreden de kring in het rond. Oma Ant en oma Greet praten over kussenslopen. Mans laat zijn zoontje paardjerijden op zijn knie: hop, hop, paardje in galop.

Maria schenkt koffie, slaat een blik in de kinderwagen en zegt, terugdenkend aan Lieuwe: Daar mag je trots op zijn.

Alie, met een lachje: Dat zijn we ook, en ze heet Greetje, naar mijn moeder.

Greet Mulder is tonnetje rond, en maar kakelen, dan tegen de een, dan tegen de ander.

Greetje, wat een lieve naam, antwoordt Maria, en wendt zich tot Mans: Wil je ook koffie?

Hij knikt. Ja, doe maar.

t Lijkt wel of hij iets weg moet slikken, als het aan hem had gelegen was het een Maria geweest, en menig woord was tussen hem en Alie daarover gevallen. Maar na die zware bevalling gaf hij Alie haar zin en werd het Greetje. Maria, zijn hart is nog steeds vol van haar. Maar Maria geeft hem een speels tikje tegen zijn wang en zegt: Je hebt je bestemming gevonden en Alie is een lieve vrouw.

Ja, ja, zijn bestemming Maar voorlopig loopt hij in de ww, is de fabriek verleden tijd, en heeft Steef alleen nog zijn auto. Heeft Maria met medewerking van Steef haar huis en zaak verkocht, en gaat ze terug naar Peru. Door invloed van Liefdegeest, wie zal het zeggen? Liefdegeest, wat voer hem terug naar dit dorp? Niemand die het weet of ooit weten zal. Of toch, Maria? Liefdegeest, hij kwam, hij stierf, hij werd op een vergeten stukje grond hier op het kerkhof begraven. Liefdegeest, naar horen zeggen een schatrijk man. En Kobus Korthals woont nu in het huisje aan het Zandpad, samen met de hond van Liefdegeest.

Hoe is het met je vader, Steef? Da s Aai Mulder. Iedereen zegt Steef, noemt hem bij zijn naam, en ziet hem als slachtoffer. Steef is nu een dorper tussen de dorpers en wordt beschouwd als eigen.

Zijn vader Die is bij zijn zuster in Nijmegen. Tante Constance, drie keer getrouwd, drie keer gescheiden, woont in een bungalow en heeft er een aardig centje aan overgehouden. Tante Constance en pa, broer en zus, ze zijn aan elkaar gewaagd. Zou ze pa s tranen drogen? Hij gaat op Mulders vraag in en zegt: In Nijmegen.

Ach zo, in Nijmegen? Zo te horen heeft ouwe Staal de benen genomen, en laat zijn zoon de schade en schande. Staal, een oude snoeperd, je zag hem altijd met mooie meiden om zich heen. Maar de laatste tijd niet meer. Uitgerangeerd. En de fabriek is ook verleden tijd, het gebouw was naar horen zeggen te laag verzekerd. Maar de een zegt dit en de ander dat, en Steef zit met de gebakken peren.

Een por tegen zijn arm, en met een blik op de klok: t Wordt onze tijd, Aai, en ik moet vanavond nog naar de vergadering van de vrouwenclub.

Ze gaan. Mans met vrouw en kinderen blijven nog even zitten. Alie denkt, in de glorie van de overwinning: ik heb een dochter. Mans, met een weemakend verdriet van een verloren illusie: Maria.

Maria, die zich tot hem wendt en vraagt: Heb jij nog kans op werk? Mans haalt zijn schouders op. Weet ik t, dat moet je Steef vragen.

Maria, met een vage glimlach op haar gelaat kijkt ze de kamer rond, ziet de markante kop van Steef Staal die zich scherp aftekent tegen het lichtend venster en zegt: Voor ik naar Peru vertrek, moeten we s ernstig met elkaar praten.

Waarover? Da s Goof, hij legt zijn pijp in de asbak. Maria, met drie

182

weken is ze bij hen vandaan. Hij heeft met haar gepraat, Steef heeft met haar gepraat Blijf bij ons, Maria.

Ant alleen zei: Laat r als ze daar haar zinnen op heeft gezet. En hij dacht: ze voelt Maria s vertrek als een opluchting.

Ja, waarover? Dat is Mans, die op het gesprek doorgaat. En Steef voegt eraan toe: Dat wil ik ook wel s weten , en denkt: wat zei Liefdegeest ook weer: Maria werkte bij de Heilig Hart Congregatie, deed daar sociaal werk.

Ant zegt niets, gluurt vanuit haar ooghoeken naar Maria s bewegende handen, ze schuift de vuile koffiekopjes in elkaar en voor de zoveelste keer stelt ze zich de vraag: waarom heeft Lieuwe geen Hollandse vrouw genomen? Dat zie je maar weer, vreemd, dat went nooit. En Maria komt weer op het werk neer, herhaalt haar vraag aan Steef, en diens antwoord: Als ik het wist, zou ik het je zeggen.

Juist, en daar wil ik met jullie over praten. De fabriek bestaat niet meer, maar bakkerij Mandemaker wel. En alle dagen wordt er brood gegeten, dus waar wachten jullie op?

Goof en Mans kijken haar onthutst aan. Maria die het roer in handen neemt. De vrouwen schudden meewarig hun hoofd, wat is dat voor malle praat? Maar Steef springt overeind, half en half begrijpt hij haar, toch zegt hij: Waar koers je op af, Maria?

Maria, met haar blijde lach zo eigen: Gewoon, bakkerij Mandemaker begint weer waar het eens is ge indigd, je eigen brood weer bakken. Lijkt het jullie een goed voorstel?

Mans, aarzelend: Als dat zou kunnen.

Goof, met een blik op Mans: We hebben niks met de sanering te maken, dus wat dat betreft.

Steef echter schudt zijn hoofd. Ik wil jullie wijzer hebben. Het kan niet.

Mans, geprikkeld: En waarom niet? t Is net zo pa zegt, met de sanering hebben we niks te maken, als we willen, kunnen we zo beginnen.

Steef schudt zijn hoofd. Dat heeft er allemaal niks mee te maken. De oven voldoet niet meer aan de huidige eisen, dat is hier het grootste probleem. En wil je de zaak weer van de grond krijgen, dan ben je een smak geld kwijt aan een nieuwe oven, en dat bedrag heb ik echt niet in mijn achterzak zitten. En een bank die een hypotheek verstrekt aan een zaak die van de grond af aan weer moet beginnen Ra, ra, waar vind je die? En hij denkt aan zijn vader, en de curator, die beslag op de overige bezittingen heeft gelegd, het notarishuis, het wagenpark, de bestelauto s, het pakhuis, zelfs pa s overgebleven kapitaaltje op de bank. En of hij er ooit overheen komt? Enfin, de schuldeisers hebben hun geld en wijzen pa niet meer na. Pa s naam is zogezegd gezuiverd. Wat zegt Maria nu?

Ik ben die bank.

Allen kijken haar verstomd aan, vragen zich af: spreekt Maria wartaal? Ant tikt zelfs veelbetekenend tegen haar voorhoofd, en Steef vraagt: Hoe bedoel je, Maria?

Ja, dat willen ze allemaal wel s weten, en Goof zegt: Steek van wal, meid.

Maria vertelt en legt uit. Ze weten dat ze haar huis en de winkel heeft verkocht, het verschuldigde bedrag aan Steef heeft afbetaald. En het bedrag dat over is, daarmee kan ze helpen de zaak weer op poten te zetten.

Totaal overdonderd, kijkt eenieder haar aan. Maria die hen met een groot gedeelte van haar geld tegemoet komt, en Goof stamelt: Dat kan toch allemaal zomaar niet, dat moet op notari le akte. En de rente?

Maria s lieve glimlach: Ik schenk het jullie uit naam van Lieuwe.

Maar jij dan, kind, zegt Ant, die haar schoondochter plots in een heel ander licht ziet. Het licht van de Heilig Hart Congregatie, iets wat zo ver buiten haar geest ligt. Ja, die ruitertje toentertijd van Liefdegeest, maar da s ook alweer een paar jaar terug.

En Maria zegt: Maakt u zich over mij maar geen zorgen, ik kom er wel. En vraagt zich af: zal ze het aan haar schoonfamilie vertellen, dat Liefdegeest bij zijn leven een klein legaat op haar naam heeft gezet? Ach nee, waarom, da s haar geheim. Liefdegeest, die als pelgrim naar zijn geboortegrond is teruggekeerd, maar wiens weten zo dicht bij het Peruaanse volk lag, waardoor hij hun aard en geloof zo goed begreep. Liefdegeest, er glijdt een glimlach om haar mond. Groot van geest en groot van hart. Liefdegeest, door de dorpers wel aanvaard, maar nooit begrepen.

En zij Maria Lieuwe laat ze achter, maar zijn beeld is in haar hart gegrift en geeft haar kracht haar verdere leven naar eigen inzicht in te vullen. En Mans, die er zo ontredderd bijstaat. Zij weet het wel, hij houdt nog altijd van haar, maar zij — ondanks haar sympathieke gevoelens voor hem — blijft hem zien als haar zwager.

Ze loopt op hem toe, legt haar hand op zijn schouder en haar anders zo lieve stem heeft nu een gebiedende klank als ze zegt: In jou stel ik al mijn vertrouwen, Mans. Je bent een Mandemaker en maak het waar. Dat ben je ten eerste verplicht aan jezelf, en nog het meest aan Lieuwe. Hij hield van je, Mans, en niemand weet dat zo goed als ik. Misschien is dat voor jou een houvast in de toekomst.

Zijn tjokkerend verdriet om haar verzacht onder haar woorden. Mans, een Mandemaker, een naam van betekenis in de regio, en ze doet een beroep op hem die traditie voort te zetten. En na hem zijn zoon, Lieuwe, vernoemd naar zijn oom. Maria die naar hem kijkt en een antwoord verwacht. Maria, is er een liever wezen dan zij?

Dat zal ik, zegt hij vol vertrouwen. Daar kun je van op aan.

Ze hoort de belofte in zijn stem, leest de waarheid in zijn ogen, buigt zich naar hem toe, drukt een kus op zijn wang en zegt een tikkeltje ontroerd: Ik ben ervan overtuigd dat we elkaar nu beter begrijpen.

Zondag staat na een week van hard werken als een baken van rust voor de familie Mandemaker. Goof scharrelt in de tuin, snoeit de heg en bindt de rozenstruiken op, Mans is op visite met vrouw en kinderen bij zijn schoonouders, en Steef zit op de bank voor de schuur. Naast hem Ant, breiend aan een trui voor haar kleinzoon. En hij staart voor zich uit en denkt het zijne. Drie jaar werkt hij nu bij Mans Mandemaker in de bakkerij en ligt er in de kost. Wie had dat ooit gedacht: van directeur tot bakkersknecht. Van eigen kapitaal terug op een maandloon, eigen verdiend geld dat voldoening schenkt. En eigen kapitaal, kom nou, er was geen cent van hem bij. Pa was in alles de rechtmatige eigenaar. Maar: zo gewonnen, zo geronnen. Pa met zijn AOW tje woont nu bij tante Constance in Nijmegen. Pa, een enkele keer als Steef naar hem toe gaat en met hem praat, gaat pa daar verstrooid aan voorbij, in eigen zorgelijke gedachten, die hem nog steeds kwellen. En na dat debacle, dat ook Steef een gevoelige klap heeft gegeven, hoe stelt hij zijn leven in? Positief blijven denken, maken wat ervan te maken valt. Zoals het eens was komt niet meer, en als hij diep in zijn binnenste kijkt, hij treurt er niet om. Geld is macht en aanzien, maar geld is ook kwaad. Liefdegeest, die begreep het. Maria begrijpt het, en Steef komt er langzamerhand achter. Hij correspondeert met Maria, om de drie maanden een brief, zo houden ze elkaar met al het wel en wee op de hoogte. Zij van over de grote plas, hij vanuit het kikkerlandje.

Hij gaat met de brief naar Mans toe, vraagt: Wil je hem lezen?

Mans slaat het deeg uit, schudt zijn hoofd. Vertel het me maar.

Hij vertelt, Mans, met een half luisterend oor, verdeelt het deeg over de bakblikken, zet ze op de kar, rijdt ze in de oven en stelt de temperatuur in.

Hij: Dringt het tot je door wat ze schrijft?

Mans koeltjes: Jawel, zij haar werk daar, wij hier. En op een ander toontje: We moeten d r een banketbakker bij.

De banketbakkerij, daar te werken, dat moet je in je vingers hebben en dat is iets wat hij niet heeft. Hij de gewezen directeur van de broodfabriek, is het niet om te gillen. De fabriek is niet meer opgebouwd, en sommige teleurgestelde arbeiders die niet meer aan de bak kwamen, gingen in de bijstand. Steef weet dat, en gooit een balletje voor ze op. Mans weert abrupt: Ik begin d r niet-an, ik ken dat tweetal, het is van ikke, ikke, en de rest kan stikken. Mans, van verlegen bakkersknecht tot dominante baas, hij — Steef — bedwingt zijn ergernis, stapt van het onderwerp af en vraagt: Als ik Maria schrijf, moet ik de groeten van je doen?

Mans: Je ziet maar. Enne kan je morgen dit oude brood naar Bertus Lamoen brengen? Bertus Lamoen, de varkensboer. Steefs auto wordt meer en meer een vrachtwagen, dan voor dit klusje, dan weer voor dat.

Voorzichtig polst hij: En Eef Dompers? Eef Dompers, de kouwe bakker aan de Laagzij. Vroeger een trouwe klant van de broodfabriek en goed van betalen.

Mans, echter met minder leuke herinneringen aan vroeger, norst: Hij haalt zijn brood maar ergens anders.

Hij schudt zijn hoofd en gaat ertegen in: Dat kan je niet menen,

Mans. Eef Dompers, hij mag wezen wat hij is, maar altijd goed van betalen.

Mans stuift op: Eef Dompers, een geslepen vos, hoe vaak heeft hij mijn moeder de das omgedaan. Dat moet jij toch weten, dat was in jouw tijd.

In zijn tijd Maar zijn tijd is verleden tijd en hij is van baas tot knecht en in loondienst bij Mans Mandemaker, en Steef mag blij zijn met die handreiking. Mans staat met een strak gezicht bij de opbolmachine. Mans, hij is veranderd. Je kan wel stellen: een armoede in eigen hart in geven tegenover anderen. De nawee n van Maria? Het was de familie bekend dat Mans in die dagen tedere gevoelens voor zijn schoonzuster koesterde, en toch moest hij trouwen met Alie Mulder. Alie, moest zij in slaap sussen wat Maria hem niet geven kon?

Mans praat er niet over, en Steef vraagt er niet naar. Hij kent zijn eigen besognes van hoog naar laag, waarin hij zijn eenzaamheid had leren verdragen, en toen de felle pijn in hem gestild was, waarom hem dit alles was overkomen, kwam de rust van de gedachte dat hij van nu af aan alleen met zichzelf te maken had, waarin geen verantwoording tegenover derden. Zijn vader.

Hij slaat een blik opzij. Naast hem Ant, ze telt haar minderingen in haar breiwerk, een trui voor haar kleinzoon, haar lippen mompelen een, twee, drie. Plots kijkt ze hem aan en zegt: Rood Toen-ie kind was, was dat ook de lievelingskleur van Lieuwe.

Hij knikt en het beeld van Lieuwe is op zijn netvlies. Lieuwe, op zijn werk altijd in een rood jack en met een rode das om zijn hals. En rode rozen op zijn begrafenis. Steef voelt zich niet geheel onschuldig aan Lieuwes dood. Want hij had, ondanks de waarschuwing van gladde wegen, Lieuwe met Liefdegeest als bijrijder de weg op gestuurd, want winstbejag ging voor alles, een streven dat hem toen werd voorgehouden: geen winst, geen overlevingskansen. Maar het had wel Lieuwes leven gekost, en zijn systeem van winst maken doorbroken, en van die dag af gingen zijn mensen voor. Toen kwam de grote brand, de fabriek verwoest, en pal daarop de genadeslag. Staal senior werd failliet verklaard en Staal junior gedegradeerd tot bakkersknecht in dienst van bakkerij Mandemaker.

Hij slaat een blik opzij. Ant, toen hij haar leerde kennen boeide ze hem aan alle kanten, en zijn instinct zei hem, hij liet haar ook niet ongemoeid.

Maar nooit had de een zich tegenover de ander laten gaan. Maar na dat vreselijke met Lieuwe is Ant in een klap jaren ouder geworden. Grijs als een duif en diepe rimpels tekenen haar gelaat. En hoe haatte ze Steef om het gebeuren met Lieuwe, en het is haar goed recht. En dat hij nu bij Mandemaker werkt en ook nog in de kost is, is door Goofs wil, waarvoor Ant uiteindelijk zwichtte.

Ant, ze is goed voor hem, maar altijd koel en op een afstand. Wat zegt ze nu?

Al die tijd dat je bij ons in huis bent hebben we nooit over Lieuwe gepraat.

Nee, antwoordt hij gesmoord. En ik zou mijn leven willen geven om het ongedaan te maken.

Jij? De harde trek in haar gezicht verandert in verwondering: En dat moet ik geloven? En dan: Door Goof ben je hier, maar als het aan mij had gelegen

Ze zwijgt, en hij vangt haar bezeerdheid. Hoe moet hij zijn verdriet om Lieuwe aan haar uitleggen? Een felle woede tegen heel dat verdomde verleden doorschokt hem, snauwend valt hij uit: Ik weet het wel, je ziet me nog altijd als de moordenaar van je zoon.

Ze ziet zijn woede, maar ook de pijn die hij bevecht bij die herinnering. En plots dringt tot haar door: niemand is in zijn voelen of denken gelijk, maar ook h j heeft om Lieuwe geleden, al was het op zijn manier.

Ja, antwoordt ze zachtjes — al erkent ze hierin haar eigen fout, vroeger wel, nu niet meer. En weet je wat Goof zegt? Eenieder wordt zijn lot opgelegd.

Hij ziet de zachte blik in haar ogen, de stille glimlach om haar mond, weet, de vervreemding tussen hen valt weg, en is haar dankbaar. Hij wil iets zeggen, weet niets, slechts twee woorden komen over zijn lippen: Dank je.

s Avonds, als het licht van de juniavond nog helder in de kamer valt, Ant voor zichzelf en de mannen een kop koffie inschenkt, Steef met aandacht de krant leest, zegt Goof tussen het pijp stoppen door:

Luister s, Steef, ik heb wat met je te bepraten.

Hoezo, antwoordt hij, nog met zijn gedachten bij een artikel. Is het belangrijk?

Nou, belangrijk, het is hoe je het bekijkt. Goof puft aan zijn pijp. Je moet het wel willen, maar Mans en ik hebben na rijp beraad besloten je een aandeel in de zaak te geven.

O. Onthutst laat hij zijn krant zakken. Een aandeel in de zaak, moet hij dat zien als geluk? Het is goedbedoeld van Goof, maar Steef huivert als hij terugkijkt naar het verleden. Aandelen, hij heeft er zijn buik van vol, vooral door de pijn en de schande die daaruit voortkwam.

Ik merk het al, zegt Goof, lurkend aan zijn pijp. Je staat bij het idee niet te juichen.

Nee, antwoordt hij naar waarheid, en op zijn netvlies heel dat verdomde verleden. De fabriek afgebrand, pal daarop het faillissement, zijn vader in een klap een oude man, en de diep teleurgestelde arbeiders. Ja, dat, het laatste, d t heeft aan Steef gevreten.

En hoe goedbedoeld ook van Goof, liever niet.

Goof knikt. Ik begrijp het, het verleden is je niet zonder kleerscheuren voorbijgegaan. Maar ik dacht een handreiking, eens jij naar mij, nu ik naar jou.

Heb je dat al niet genoeg gedaan? Je hebt je huis voor me opengesteld, een goed betaalde baan en ik word hier behandeld als eigen.

Nee, het is goed zo. En hij speelt met de gedachte: ik heb geleerd eenvoud te waarderen en dankbaar te zijn, en wat het wil zeggen: wie het kleine niet eert, is het grote niet weerd. Ja, het laatste, dat vooral, en hoe het verder in de toekomst gaat? Hij zal wel zien, voorlopig is het zo goed.

Drukte op het Kerkplein. De reden: de nieuw verbouwde zaak van bakkerij Mandemaker die vandaag wordt geopend, met het vooruitzicht voor iedere klant een gratis mokkataartje, plus een pondje allerhande. En voor zoiets hebben de dorpers een fijne neus, het is me dan ook een drukte van belang.

Zelfs Kobus Korthals van het Zandpad — door Steef met de auto opgehaald — staat onder de vele aanwezigen. Ook bij Kobus beginnen de jaren te tellen, en de laatste tijd wordt de loop vanaf het Zandpad naar het dorp hem net een tikkeltje te veel. Hij speelt met de gedachte zijn huissie te verkopen en naar het bejaardenhuis te gaan. Maar nu staat hij in zijn nieuwe boezeroen en leunend op zijn stok tussen vele oude bekenden. Zonder de schapendoes, dat wel, maar alles en iedereen wordt verleden tijd, en mens noch dier ontkomt d r an.

Hij luistert naar het gepraat om zich heen, al die vrouwtjes gelijk een stel kakelende kippen, en Sientje Mos — wiens jaren ook gaan tellen — krast d r als een kraai bovenuit. Ze heeft d r mond vol over Maria, de weduwe van wijlen Lieuwe Mandemaker. Van de ene op de andere dag verkocht ze hutje en mutje, en is naar het land ver herkomst teruggekeerd. En dan te weten wat de familie Mandemaker allemaal voor haar heeft gedaan. En zo zie je maar weer. Buitenlanders, je kijkt erop maar niet erin.

Kobus, die in vroeger dagen in Sientje zijn rivaal zag, stuift terstond op: Mens, slik je giftong toch-es in, je hebt op iedereen wat, behalve op je boterham.

Sientje, danig op haar tenen getrapt: Moet je horen wie dat zegt. Kobus Korthals, in zijn jonge jaren zelf een stuk venijn, en wat jij in die dagen allemaal over Liefdegeest vertelde, de honden lusten d r geen brood van. En nu doet meneer of-ie de heilige Petrus zelf is.

Maar de kift bij Sientje steekt dieper. Kobus, die naar horen zeggen het huisje van Liefdegeest heeft ge rfd. En ook doet het praatje nog steeds de ronde: Liefdegeest was een rijke stinkerd.

Kobus, bijkans paars van woede, heft zijn stok en dreigt: As je nou je waffel niet houdt

Meester Winsma, ondanks zijn jaren nog steeds de voorzitter van de vereniging Voor het goede doel , doet vlug een stap naar voren en sust vlug de verhitte gemoederen: Mensen, mensen, gebruik toch je verstand, niemand is volmaakt.

Juist, meester Winsma zegt het ware, dat kunnen ze in hun zak steken. Een stilte, dan valt plotseling de naam Steef Staal, van import tot een van de hunne. En van directeur tot bakkersknecht. Steef, zo n gozer en niks geen kapsones, en ze mogen hem wel. En Truus Zorg, de wijkverpleegster in het dorp, heeft hem al een paar keer gearmd zien lopen met de nieuwe schooljuf. Een blonde schone, gekleed in een

190

zedig zwart japonnetje, boven slanke nylonbenen, gestoken in gevlochten sandaaltjes, en ook in de liefde gunnen ze hem het allerbeste. En niet te vergeten Mans Mandemaker. Mans, die het heeft gemaakt, drie vaste knechten in dienst en twee oproepkrachten. En Mans die de zaak heeft laten verbouwen en vandaag wordt geopend tot glorie van het dorp, wat iedereen wil zien en meemaken.

Maar voorlopig zien ze nog niks. Dat komt door Goof, want bij het krieken van de dag, nog voor het eerste hanengekraai, heeft hij vanaf de gevel een stuk plastic voor het etalageraam gehangen. En wat daarop staat, weten alleen Steef en Mans. Ant en Alie zijn er bewust buiten gehouden, het is zogezegd een verrassing. En menig dorper denkt bij het zien van het witte stuk plastic: wat benne dat voor stadse kuren?

Bam, negen heldere slagen galmen over het kerkplein, en alsof daarop is gewacht, komt de familie Mandemaker met kleinkinderen en hun kostganger — Steef Staal — vanachter het plastic tevoorschijn. Prompt gaat er een zucht van verlichting door de dorpers. Eindelijk, het wachten heeft nu lang genoeg geduurd. Ze willen naar huis met de gratis aanbieding van mokkataart en boterallerhande, dat zal smaken bij een bakkie leut.

Toe maar, Lieuwe, zegt Goof tegen zijn kleinzoon. Trek het plastic maar weg.

Lieuwe geeft een ruk aan het afhangend koord, het stuk plastic dwarrelt naar beneden. En voor de vele nieuwsgierigen onthult zich de mooiste zaak uit de omgeving. Bakkerij Mandemaker, een aanwinst voor het dorp, met op het etalageraam in sierlijke boog de geschilderde tekst *Ons dagelijks brood*.

Ben je het ermee eens? vraagt Goof aan zijn vrouw. En op haar verwonderde blik: Steef en Mans zaten ook in het complot.

Ja, valt Steef hem bij. Maar er moest heel wat water door de zee voor het tot ons doordrong. En, lachend: Waar of niet, Ant?

Ja, geeft ze toe, en ze kijken elkaar aan in dezelfde gespannenheid, en er wikt iets op in haar borst, waar ze onbewust haar hand tegen drukt, weet, Steef Staal is hen zo eigen geworden. Steef met zijn deskundig beleid, zijn scherp verstand en helder inzicht, tezamen met Mans durf en hardnekkige wil tot slagen.

191

Ze kijkt naar Lieuwe — Mans zoon — die in heel zijn doen en laten zo bedrieglijk veel op zijn gestorven oom lijkt. In haar diepe ontroering: ze heeft hem terug, en legt het beeld van nu als het ware in haar geheugen vast. En met de hand op de schouder van haar kleinzoon glijdt haar blik — waaraan nooit iets ontsnapt — naar Goof, en in haar alleen maar dankbaarheid.

Ze duwt Lieuwe in de richting van zijn grootvader, en haar stem beeft een beetje als ze overtuigend tegen hem zegt: Lieuwe, onze stamhouder en de opvolger van de zaak.

En Goofs antwoord, waarin zijn ogen goedig blinken in de hare: Juist, de nieuwe generatie Mandemaker. Maar houd een ding voor ogen: de mens wikt, maar God beschikt.